the Secret™

The Secret

Rhonda Byrne

Published by arrangement with the original publisher,
Atria Books/Beyond Words, an imprint of Simon&Schuster Inc.

Editör: Pantha Nirvano
Türkçeye Çeviren: Can Üstünuçar

Dizgi, Mizanpaj
Ajans Plaza Tanıtım ve İletişim Hizmetleri Ltd. Şti.
Tel: 0 212 612 85 22

Baskı, Cilt
İstanbul Matbaacılık Basılı Yayıncılık, Reklamcılık San. Tic. Ltd. Şti.
Tel: 0 216 466 74 96

BUTİK YAYINCILIK VE KİŞİSEL GELİŞİM HİZ. TİC. LTD. ŞTİ.
Davutpaşa Cad. Emintaş Kazım Dinçol San. Sit. No: 81/260
Topkapı - İstanbul Tel: 0 212 612 05 00 Fax: 0 212 612 05 80
www.butikyayincilik.com • info@butikyayincilik.com

Yukarıda olduğu kadar aşağıda.
İçeride olduğu kadar dışarıda.

—*Zümrüt Tablet*, M.Ö 3000 dolayları

"Sır"rı Siz'e adıyorum...

"Sır" Siz'e, tüm varlığınızı kapsayacak
sevgi ve mutluluğu getirebilir.

Siz ve bütün dünya için temennim budur.

İçindekiler

Önsöz

Bir yıl kadar önce, hayatımdaki her şey ters gitmeye başlamıştı. Aniden babam ölmüş, iş arkadaşlarım ve sevdiklerimle ilişkilerim altüst olmuştu. O zamanlar, en müthiş armağanların en derin umutsuzluklardan geleceği konusunda pek bir şey bilmiyordum.

Bir an için beynimde "Büyük Sır"ra dair bir görüntü çaktı. Bu, hayatın "Sır"rıydı. İpucu, kızım Hayley'in bana verdiği, yüz yıllık bir kitaptan gelmişti. Tarih boyunca geri giderek "Sır"rın izini sürmeye başladım. Bu kadar çok insanın bu sırrı bildiğine inanamıyordum. Aralarında; Eflatun, Shakespeare, Newton, Victor Hugo, Beethoven, Lincoln, Emerson, Edison, Einstein gibi insanlık tarihinin en büyük adamları vardı.

Kuşkulanarak; "Peki, bizler bunu neden bilmiyoruz?" diye sorguladım. "Sır"rı tüm dünyayla paylaşma arzusuyla yanıp tutuşuyordum, ve bu "Sır"rı bilerek yaşayan diğer insanları araştırmaya koyuldum.

Birer birer ortaya çıkmaya başladılar. Sanki bir mıknatıs gibiydim:

Araştırmaya giriştiğimden beri, yaşam konusunda ustalaşmış bu insanlar birbirleri ardından bana doğru çekiliyorlardı.

Öğretmenlerimden birini keşfettiğimde, mükemmel zinciri oluşturacak olan diğer halka gelip ona bağlanıyordu. İz sürerken yanlış yola saptığımda, bir şeyler dikkatimi çekiyor; beni bir sonraki yüce öğretmenimin belireceği tarafa doğru yönlendiriyordu. İnternette araştırma yaparken "kazara" yanlış bir bağlantıya tıkladığımda ise, hayati önemi olan bir bilgiye ulaştırılıyordum. Böylece, çabucak geçen birkaç haftanın sonunda, asırlar boyu geri giderek "Sır"ın izini sürmüş, modern çağlardaki uygulayıcılarını da keşfetmiştim.

"Sır"ı bir kitapla dünyaya duyurmaya karar verdim ve bunu izleyen iki ay içinde yapım ekibimin tamamı "Sır"ı öğrendi. Ekipteki herkesin bu sırrı bilmesi zorunluydu; çünkü kotarmaya çalıştığımız işi, bilgisizce yapmak imkansızdı.

"Sır"ı bilmemize rağmen kitabın güvenliği için tek bir öğretmene bağlı kalmak istemedik ve katıksız inancımla ben Avustralya'dan, öğretmenlerin çoğunluğunun yaşadığı yer olan Amerika Birleşik Devletleri'ne gittim. Bundan yedi hafta sonra ise, "Sır" ekibi Birleşik Devletler'i bir baştan bir başa kat ederek, orada bulunan öğretmenler arasından en muhteşem elli beş tanesini filme almış ve yüz yirmi film saatini aşmıştı. "Sır"ın kitabını yaratmak için attığımız her adımda, aldığımız her nefeste "Sır"ı kullandık. Herkesi ve her şeyi kelimenin tam anlamıyla mıknatıs gibi kendi-mize çektik. Sekiz ay sonra ise, "Sır" piyasaya çıkmıştı.

Kitap hızla dünyaya yayıldıkça, mucize hikayeleri de sel gibi gelmeye başladı. İnsanlar bize; kronik ağrılarından, depresyonlarından ve hastalıklarından kurtulduklarını, geçirdikleri kazaların ardından ilk kez yürüdüklerini, hatta ölüm döşeğinden ayağa kalkarak sağlıklarına kavuştuklarını yazdılar. "Sır" sayesinde kazanılan büyük paralara ve beklenmedik para çeklerine dair binlerce hesap pusulası aldık. Birçok insan "Sır"rı kullanarak mükemmel evlerine, hayat arkadaşlarına, arabalarına, işlerine ve terfilerine ulaşmış, birkaç gün içinde büyük paralara dönüşen banka hesaplarına sahip olmuşlardı. Ayrıca, yeniden sağlıklarına kavuşarak huzur bulan çocuklar da dahil olmak üzere, iletişim problemleri olan insanlara ilişkin birçok hikaye de bize ulaşarak yüreklerimizi ısıttı.

Anlatılan deneyimler arasında olağanüstülükleriyle bizi en çok etkileyenler, "Sır"rı kullanarak yüksek notları ve yeni arkadaşları kendilerine çekerek dileklerine ulaşan çocuklar oldu. "Sır" bu bilgiyi doktorların hastalarıyla, okullar ve üniversitelerin öğrencileriyle, sağlık merkezlerinin müşterileriyle, her ibadethanenin cemaatiyle paylaşması için ilham kaynağı oldu. Dünyanın her yerindeki evlerde Sır toplantıları yapıldı ve insanlar bildiklerini aileleri ve sevdikleriyle paylaştılar. Sır, on milyon dolarlık özel bir tür kuş tüyü de dahil olmak üzere her tür nesneyi çekmek için kullanıldı ve bütün bunlar kitabın satışa sunulmasını izleyen birkaç ay içinde gerçekleşti.

"Sır"rı anlatan bu kitabı oluştururken amaçladığım şey, dünya üzerindeki milyarlarca insanı mutlu etmekti (Hala da öyle). "Sır" ekibi ise, amacımın gerçekleştiğini her gün defalarca görüyor; çünkü, dünyanın her yerindeki her yaştan, her ırktan, her milletten binlerce insandan "Sır"rın kendilerine getirdiği mutluluk için minnet duygularını ifade eden binlerce mektup alıyoruz. Bu bilgiye sahip olduktan sonra yapamayacağınız hiçbir şey yok. Kim olduğunuzun, nerede bulunduğunuzun hiç önemi yok; "Sır" sayesinde istediğiniz her şeye sahip olabilirsiniz.

Bu kitapta yirmi dört öğretmenimizin şaşırtıcı hikayesi anlatılıyor. Bu insanlar Amerika Birleşik Devletleri'nin farklı yerlerinde farklı zamanlarda filme alınmalarına rağmen sanki aynı anda aynı şeyi söyler gibiler. Kitap "Sır" öğretmenlerinin mesajlarıyla birlikte, "Sır"rın işleyişine dair kendi mucizevi öyküsünü de içeriyor. Düşlediğiniz hayatı yaşamanız için, öğrendiğim tüm kolay ve kestirme yolları, ipuçlarını da burada sizlerle paylaştım.

Kitabı okurken bazı yerlerde "siz" sözcüğünü büyük harfle yazdığımı göreceksiniz. Bunu yapmamın sebebi, siz okurların bu kitabı sizin için yarattığımı bilmenizi ve hissetmenizi istememdir. "Siz" dediğim zaman, size kişisel olarak sesleniyorum. Burada amacım, bu sayfalarla kişisel bir bağ kurmanızı sağlamak; çünkü "Sır" Sizin için yazıldı.

Sayfalar arasında gezerek "Sır"rı öğrendiğinizde, istediğiniz her şeyi elde etmeyi, yapmayı, ya da istediğiniz her şey olmayı da öğrenmiş olacak; sizi bekleyen gerçek ihtişamın ne olduğunu göreceksiniz.

Teşekkürler

Hayatıma giren, bana esin veren, dokunan, varlığıyla beni aydınlatan herkese derin şükranlarımla teşekkür etmek istiyorum.

Yolculuğuma ve kitabımın yaratım sürecine yaptıkları katkılar, verdikleri olağanüstü destek için aşağıda bahsedeceğim herkese minnetimi ifade etmek isterim:

Bilgelik, sevgi ve dini bilgilerini benimle cömertçe paylaştıkları için "Sır"da yer verilen tüm yardımcı yazarlara; John Assaraf, Michael Bernard Beckwith, Lee Brower, Jack Canfield, Dr. John Demartini, Marie Diamond, Mike Dooley, Bob Doyle, Hale Dwoskin, Morris Goodman, Dr. John Gray, Dr. John Hagelin, Bill Harris, Dr. Ben Johnson, Loral Langemeier, Lisa Nichols, Bob Proctor, James Ray, David Schirmer, Marci Shimoff, Dr. Joe Vitale, Dr. Denis Waitley, Neale Donald Walsch ve Dr. Fred Alan Wolf'a saygılarımı sunuyorum.

Muhteşem insanlar; Paul Harrington, Glenda Bell, Skye Byrne ve Nic George"Sır"rın yapım ekibini oluşturdular.

Ayrıca Drew Heriot, Daniel Kerr, Damian Corboy, ve "Sır" kitabının yaratım sürecindeki yolculuğumuza katılan herkese teşekkürler.

Gozer Media'dan James Armstrong, Shamus Hoare ve Andy Lewis "Sır"rın ruhuna uygun süper grafikler tasarladılar.

Ve Tabii adeta Cennetten gönderilen"Sır"rın CEO'su Bob Rainone.

Michael Gardiner ve ekibi, Avustralya ve Amerika Birleşik Devletleri'nde yasal danışmanlığımızı yaptı.

"Sır"rın web sitesi ekibini oluşturan Dan Hollings, John Herren'e ve forumu uygulamaya koyup, yürüten Powerful Intentions'taki herkesle birlikte foruma katılan harika insanlar hepiniz sağ olun.

Yaşayan efsane insanlar ve geçmişte yaşamış usta öğretmenlerin yazıları içimde yanan arzuyu ateşlediler. Yüce varlıklarının gölgesinden yürümüş olmaktan onur duyuyorum. Robert Collier ve Robert Collier Yayınlarına, Wallace Wattles, Charles Haanel, Joseph Campbell ve Joseph Campbell Vakfına, Prentice Mulford, Genevieve Behrend ve Charles Fillmore'a da özellikle teşekkürler.

Atria Books/Beyond Words'den Richard Cohn ve Cynthia Black ile Simon & Schuster'dan Judith Curr "Sır"ra kalplerini açarak onu kucakladılar. Henry Covi ve Julie Steigerwaldt da yayına hazırladı.

Cathy Goodman, Susan ve Colin Sloate, Susan Morrice, Belize Natural Energy'nin yöneticisi Jeannie MacKay ve Joe Sugarman da öykülerini cömertçe benimle paylaştılar.

Dr. Robert Anthony, Jerry - Esther Hicks ve Abraham'ın öğretileri, David Cameron Gikandi, John Harricharan, Catherine Ponder, Gay ve Katie Hendricks, Stephen MR Covey, Eckhart Tolle ve Debbie Ford öğretileriyle bize esin verdiler. Chris ve Janet Attwood, Marcia Martin, Transformational Leaders Council üyeleri, Spiritual Cinema Circle, Agape Spiritual Center personeli ve "Sır"da yer alan tüm öğretmenlerin bütün asistan ve yardımcıları da bizi cömertçe desteklediler.

Değerli arkadaşlarım; Marcy Kotlun-Crilley, Margaret Rainone, Athena Golianis ile John Walker, Elaine Bate, Andrea Keir ve Michael - Kendra Abay'a sevgi ve destekleri için teşekkür ederim. Olağanüstü bir insan olan eşim Peter Byrne'e; benim için çok özel insanlar olan kız kardeşlerimden bu kitap için bana paha biçilmez destek veren Jan Child'a, Pauline Vernon'a, merhum Kaye Izon'a, her zaman benim yanımda olan sevgi ve desteği için sınır tanımayan Glenda Bell'e teşekkürler. Yürekli ve güzel annem Irene Izon ile ışığı ve sevgi dolu hatırası hala yaşamlarımızın üzerinde parlayan babam Ronald Izon sağ olun.

Son olarak da kızlarım Hayley ve Skye Byrne'e teşekkür etmek istiyorum. Hayata bağlayarak, gerçek bir yolculuğa çıkmamın sorumlusu Hayley ile kitabımın yaratım sürecinde ayak izlerimi takip ederek, parlak zekasıyla sözlerimi düzeltip geliştiren Skye'e teşekkürler. Kızlarım benim için birer hazine ve varlıklarıyla aldığım her nefesi aydınlatıyorlar.

Sır Ortaya Çıktı

Bob Proctor

FİLOZOF, YAZAR VE KİŞİSEL KOÇ

Mutluluk sağlık ve zenginlik: "Sır" size elde etmek istediğiniz her şeyi veriyor.

Dr. Joe Vitale

İŞADAMI VE YATIRIM UZMANI

İstediğiniz her şeyi elde edebilir, her şey olabilirsiniz.

John Assaraf

İŞADAMI VE YATIRIM UZMANI

Seçtiğimiz şey her ne olursa olsun; ona sahip olabiliriz. Hedefin büyüklüğü hiç önemli değil.

Nasıl bir evde yaşamak isterdiniz? Milyarder olmak ister miydiniz? Nasıl bir işiniz olsun? Daha başarılı olmak istiyor musunuz? Gerçekten istediğiniz şey nedir?

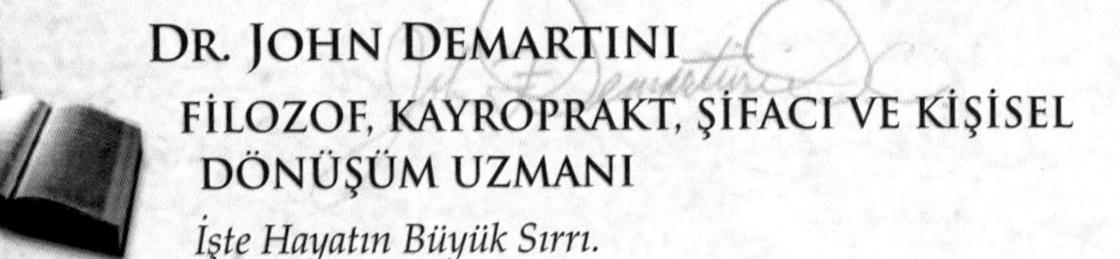

DR. JOHN DEMARTINI

FİLOZOF, KAYROPRAKT, ŞİFACI VE KİŞİSEL DÖNÜŞÜM UZMANI

İşte Hayatın Büyük Sırrı.

DR. DENIS WAITLEY

PSİKOLOG VE ZİHİNSEL POTANSİYEL ALANINDA EĞİTMEN

Geçmişte "Sır"ra vakıf olan liderler bu gücü kendilerine sakladılar ve paylaşmayı reddederek insanları bu "Sır"dan mahrum ettiler. İnsanlar işlerine gidip, çalışıyor sonra evlerine dönüyorlardı. Monotonluk içinde ve güçsüzdüler; çünkü "Sır" birkaç kişi arasında saklanıyordu.

Tarih boyunca kendisini "Sır"ra dair bilgiye ulaşmaya adayan bir çok insan arasından bu bilgiyi dünyaya yaymanın yollarını bulanlar da vardı.

MICHAEL BERNARD BECKWITH

AGAPE ULUSLARARASI SPİRİTÜEL MERKEZİ'NİN VİZYONERİ VE KURUCUSU

İnsanlar tarafından yaşanan pek çok mucizeye şahit

oldum. Finansal mucizeler, mucizevi fiziksel iyileşmeler, akıl sağlığına ve ilişkilere dair kerametler gördüm.

Jack Canfield

YAZAR, ÖĞRETMEN, YAŞAM KOÇU VE MOTİVASYON KONUŞMACISI

Bunların gerçekleşmesinin sebebi "Sır"rın nasıl uygulanacağının öğrenilmesiydi.

"Sır" Nedir?

Bob Proctor

Büyük olasılıkla şu an olduğunuz yerde "Sır nedir?" diye merak ediyorsunuz. Şimdi size bundan ne anladığımı anlatacağım:

Biz hepimiz sınırsız bir güçle yaşıyor, kendimizi idare ederken tamamıyla aynı kurallara bağlı kalıyoruz. Evrenin doğal kanunları o kadar kesin ki, uzay gemileri inşa edip aya insan gönderirken bile hiçbir sıkıntı çekmiyor, inişlerimizin zamanlamasını yaparken saniyenin onda birini dahi hesaplayabiliyoruz.

Hindistan, Avustralya, Yeni Zelanda, Stockholm, Londra, Toronto, Montreal ya da New York... Nerede olursanız olun, hepimiz aynı kuvvete, tek bir yasaya bağlı olarak yaşıyoruz. İşte bu kuvvet çekim kuvvetidir!

"Sır" çekim yasasıdır!

Hayatınıza giren her şeyi, kendinize çeken siz kendinizsiniz. Bunu, zihninizde tuttuğunuz imgelerin erdemiyle, düşüncelerinizle yapıyor; zihninizden geçirdiklerinizi kendinize çekiyorsunuz.

"Sahip olduğunuz her düşünce nesnel bir gerçeklik; bir kuvvettir."

Prentice Mulford (1834–1891)

İnsanlık tarihinin en önemli öğretmenleri Evren'in en güçlü yasasının çekim yasası olduğunu bize söylemişlerdi.

William Shakespeare, Robert Browning ve William Blake gibi şairler bunu bize şiirleriyle anlattılar. Ludwig van Beethoven gibi müzisyenler müzikleriyle; Leonardo da Vinci gibi sanatçılar da tablolarıyla ifade ettiler. Sokrates, Eflatun, Ralph Waldo Emerson, Pisagor, Sir Francis Bacon, Sir Isaac Newton, Johann Wolfgang von Goethe ve Victor Hugo gibi düşünürler de, bunu yazıları ve öğretileri aracılığıyla bizimle paylaştılar. İsimleri ölümsüzleşerek efsanevi varlıkları asırlar boyunca hayatta kaldı.

Hinduizm, Hermetik Gelenekler, Budizm, Yahudilik, Hristiyanlık ve İslam gibi dinler ile eski Babiller ve Mısırlılar gibi medeniyetler ise öykülerinde ve yazılarında bu bilgiyi bize verdiler. Çağlar boyunca bütün biçimleriyle kayıtlara geçen ve M.Ö. 3000 yılında bir taşa yazılmış bu yasaya her yüzyıla ait eski yazıda rastlayabilirsiniz. Bu bilgiyi kendisine saklamak isteyip bunun için çaba sarf edenler olsa da, o daima keşfedilmeye hazır bekledi.

Yasa tarihle başladı. Daima varoldu; her zaman varolacak.

Evrenin kusursuz düzeni, yaşamınızın her anı, yaşadığınız her deneyim bu yasaya göre belirleniyor. Kim olursanız olun, nerede yaşarsanız yaşayın; tüm yaşantınız çekim yasası tarafından şekillendirilirken, bu her şeye muktedir yasa, düşünceleriniz aracılığıyla işliyor. Çekim yasasını harekete geçiren ise siz kendinizsiniz ve bunu düşüncelerinizi kullanarak yaparsınız.

1912 yılında Charles Haanel çekim yasasını "yaratım sisteminin bir bütün olarak dayandırılabileceği en büyük ve en mutlak yasa" olarak tanımlamıştı.

BOB PROCTOR

Bilge insanlar bu bilgiye daima vakıf oldular. Bunu görmek için geriye doğru gidip, küçük seçkin bir grup olan kadim Babilliler'e bakabilirsiniz. Onlar bu yasayı biliyorlardı.

Eski Babilliler ve sahip oldukları büyük zenginlik araştırmacılar tarafından oldukça iyi belgelenmiş; dünyanın yedi harikasından biri olan Babil'in Asma Bahçeleri'ni yaratan toplum olarak da gayet iyi tanınmışlardır. Onları tarihin en varlıklı ırklarından biri yapan ise, evrenin yasalarını anlayarak uygulamalarıdır.

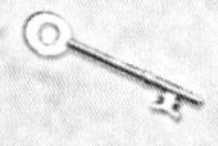

BOB PROCTOR

Kazanılan bütün paranın yaklaşık yüzde doksan altısının dünya nüfusunun yalnızca yüzde biri tarafından kazanılmasının sebebi nedir dersiniz? Sizce bu bir tesadüf mü? Bu, tasarlanmış bir şey. Bu insanlar bir şeyleri kavramış durumdalar. Onlar "Sır"rı biliyorlar; ve artık siz de bu bilgiyle tanışıyorsunuz.

Zenginliği hayatlarına çeken insanlar "Sır"rı bilinçli ya da bilinçsiz bir biçimde mutlaka kullanırlar. Bolluk ve bereketi düşünür, bunun karşıtı bir düşüncenin beyinlerinde yer almasına izin vermezler. Varlığa dair düşünceleri daima baskındır. Bildikleri tek şey bolluktur; zihinlerinde bundan başka bir şey yoktur. Çekim yasasını harekete geçiren de budur.

Burada "Sır"rı ve çekim yasasının işleyişini açıklamak için mükemmel bir örnek verebiliriz: Büyük bir servet kazanıp, sonra bunun tamamını kaybetmelerine rağmen kısa süre içinde yeniden büyük bir varlığa ulaşan insanları duymuşsunuzdur. Bu vakalarda yaşanan şudur: Farkında olarak ya da olmayarak başlangıçta baskın düşünceleri servet edinmektir ve böylece bunu kazanırlar. Sonrasında ise, bu servetlerini kaybetme korkusuna dair düşüncelerin beyinlerine girmesine izin verdiklerinde bu kaybetme korkusu zihinlerinin başlıca düşüncesi haline gelir. Böylece, bolluk ve bereketi düşünürken kulvar değiştirerek beyinlerini kaybetme düşüncesiyle doldurmuş olur; kazandıklarını kaybederler. Kaybettikten sonra ise, kaybetme korkusu ortadan kalktığından kulvarlarına geri dönerek baskın düşünceleri olan servet kazanma fikrine yoğunlaşır, yeniden kazanmaya başlarlar.

Yasa düşüncelerinize yanıt verir, içeriklerine aldırış etmez.

Benzer Benzeri Çeker

JOHN ASSARAF

Çekim yasasını nasıl gördüğümü en basit biçimiyle anlatmam gerekirse, kendimi bir mıknatıs olarak düşündüğümü ve bir mıknatısın çekim gücü olduğunu bildiğimi söylemek isterim.

Siz evrendeki en güçlü mıknatıssınız! İçinizde barındırdığınız manyetik güç, yeryüzündeki her şeyden daha güçlü. Bu akıl sır ermez çekim gücünü yayan ise yine sizin düşünceleriniz.

BOB DOYLE
YAZAR VE ÇEKİM YASASI UZMANI

Ana hatlarıyla bakıldığında, çekim yasası; benzerin benzeri çektiğini söylemekle birlikte, burada bahsedilen çekim düşünce düzeyindedir.

Çekim yasası "benzer benzeri çeker" derken, sahip olduğunuz düşüncelerin, benzerlerini de kendinize çektiğiniz ifade edilmek isteniyor. Şimdi, sizin de kendi yaşamınızda çekim yasasına dair bazı deneyimler edinmiş olabileceğinizi gösteren birkaç örnek verelim:

Yaşamınız boyunca hiç mutsuz olduğunuz bir konu üzerinde düşünürken, siz düşündükçe işlerin daha da kötüye gittiğini fark ettiğiniz oldu mu? Bunun sebebi sabit bir düşünceyi koruduğunuzda, çekim yasasının derhal işlemeye başlaması ve size benzer düşünceleri getirmesidir. Böylece birkaç dakika içinde, o kadar çok benzer mutsuz düşünceye kapılırsınız ki, durum size daha da kötü gelmeye başlar ve ne kadar çok düşünürseniz, o kadar çok mutsuz olursunuz.

Benzer düşünceleri çekme konusunu müzik dinlerken de yaşamış olabilirsiniz; bazen bir şarkı duyduğumuzda o şarkı dilimize takılır ve onu kafamızdan çıkaramayız. Aynı şarkı kafamızın içinde defalarca çalar durur. Şarkıyı ilk duyduğunuzda, dikkatinizi çekip çekmediğini hatırlamıyor olsanız bile, tüm dikkatinizi vererek içindeki düşünceye odaklanmışsınızdır. Burada yaptığınız, şarkının içindeki benzer düşünceleri güçlü bir biçimde çekmektir. Böylece, şarkıya dair daha fazla düşünceyi defalarca aklımıza getirecek olan çekim yasası harekete geçmiş olur.

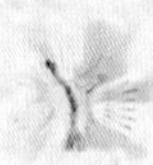

JOHN ASSARAF

İnsan olarak bizim burada yapmamız gereken şey, olmasını istediğimiz şeylere dair düşüncelerimize sıkı sıkıya tutunmak, ne istediğimizi kafamızın içinde tam olarak netleştirip kesinleştirerek, Evren'in en büyük yasalarından biri olan çekim yasasını davet etmek için yakarmaya başlamaktır. Siz, hem üzerinde en çok düşündüğünüz şey, hem de üzerinde en çok düşündüğünüz şeyi kendinize çekensiniz.

Şu an yaşadığınız hayat, geçmiş düşüncelerinizin yansımasıdır. Buna, yaşadığınız tüm mükemmelllikler ve o kadar da mükemmel bulmadığınız her şey dahil. Üzerinde en çok düşündüğünüz şeyleri kendinize çektiğinize göre, hayatınızın her alanında baskın olarak neler düşündüğünüzü görmek kolay, çünkü yaşadıklarınız bunlardan ibaretti. Şimdiye kadar! Şimdi ise, "Sır"rı öğreniyorsunuz ve bu bilgiyle her şeyi değiştirebilirsiniz.

BOB PROCTOR

Zihninizde canlandırabildiğinizi, ellerinizde de tutabilirsiniz.

Dileğinizi kafanızın içinde şekillendirip, baskın düşünceniz haline getirdiğiniz taktirde onu mutlaka hayata geçirirsiniz.

MIKE DOOLEY

YAZAR VE ULUSLARARASI KONUŞMACI

Bu prensip iki basit sözcükle özetlenebilir: Düşünceler somutlaşır!

Bu en güçlü yasa sayesinde, düşünceleriniz yaşamınız içinde somut bir şeylere dönüşür. Düşünceleriniz somutlaşır! Bu sözleri tekrar tekrar söyleyerek bilincinize sızmalarına izin verin ve onları fark edin. Düşünceleriniz somutlaşacaktır!

JOHN ASSARAF

Birçok insan düşüncelerin frekansları olduğunu anlayamıyor; oysa düşünceler ölçülebilirler. İşte bu yüzden, bir şeyi defalarca ve defalarca ve defalarca düşünürseniz, örneğin; beğendiğiniz marka otomobile sahip olmayı, ihtiyaç duyduğunuz parayı kazanmayı, kendi şirketinizi kurmayı, ruh eşinizi bulmayı...Ve dileğinizi zihninizde canlandırırsanız, gerekli frekansı tutarlı bir biçimde yaymaya başlarsınız.

DR. JOE VITALE

Düşünceler, manyetik sinyaller yayarlar ve bu sinyaller ait oldukları düşüncelerin benzerlerini size doğru çekerler.

"Mıknatıs sahip olduğunuz baskın düşünce ya da zihinsel tutum; benzerin benzeri çekmesi de kural olduğuna göre, sonuç olarak zihinsel tutumunuz kendi doğasına uygun şartları kendine çekecek ve bu değişmeyecektir."

Charles Haanel (1866–1949)

Düşünceler manyetiktir ve frekansları vardır. Siz düşünürken düşünceleriniz Evren'e yayılır ve manyetik güçleriyle aynı frekanstaki bütün benzerlikleri mıknatıs gibi çekerler. Gönderilen her şey kaynağına geri döner. Ve "Siz" o kaynaksınız.

Şöyle düşünün: Televizyon istasyonlarının vericileri, televizyonlarınızdaki görüntülere dönüşen frekanslar aracılığıyla yayın yapıyorlar. Birçoğumuz bunun nasıl gerçekleştiğini bilimsel olarak anlayamıyor olsak da, her kanalın bir frekansı olduğunu ve televizyonumuzu bu frekansa ayarladığımızda görüntüleri izleyebileceğimizi biliyoruz. Kanalı seçtiğimizde frekansı da seçiyor böylece o kanalın yayınlamakta olduğu görüntüleri elde ediyoruz. Farklı görüntüler izlemek istediğimizde ise, kanalı değiştirerek diğer bir frekansa bağlanıyoruz.

Sizler de birer yayın merkezisiniz ve bugüne kadar üretilmiş tüm televizyon vericilerinden daha güçlüsünüz. Evrenin en güçlü verici istasyonu sizsiniz. Sizin ilettiğiniz frekanslar hayatınızı şekillendirirken, hayatınız da dünyayı şekillendirir. Yaydığınız dalgalar şehirlerin, ülkelerin ötesine geçerek dünyaya uzanır; Evren'in her yanında yankılanır ve siz bu frekansı düşüncelerinizle yayarsınız!

Düşüncelerinizin iletiminden elde ettiğiniz görüntüler oturma odanızdaki televizyon ekranına yansımazlar; onlar sizin yaşamınıza dair görüntülerdir! Frekansı oluşturan düşünceleriniz benzer unsurları bu frekansa çekerek bunları hayatınızın görüntüleri olarak size geri gönderir. Hayatınızda değiştirmek istediğiniz herhangi bir şey varsa, düşüncelerinizi değiştirerek kanalı ve frekansı değiştirin.

> "Zihinsel kuvvetlerin titreşimleri en hassas,
> dolayısıyla varoluşa dair en güçlü titreşimlerdir."
>
> Charles Haanel

BOB PROCTOR

Kendinizi bolluk içinde yaşarken düşünün; bereketi kendinize çekeceğinizi göreceksiniz. Bu kural herkes için her zaman geçerlidir.

Kendinizi zenginlik içinde yaşarken düşündüğünüzde, yaşamınızı çekim kuralı aracılığıyla etkili ve bilinçli bir biçimde düzenlemiş oluyorsunuz. İşte bu kadar kolay. Ve bu noktada o en aşikar soru gelir: "Öyleyse neden herkes düşlediği hayatı yaşayamıyor?"

Kötüyü Değil İyiyi Çekmek

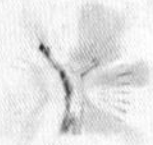

JOHN ASSARAF

Problem burada. Çoğumuz gerçekleşmesini istemediğimiz şeyleri düşünür ve bunların neden defalarca başımıza geldiğini merak ederiz.

İnsanların istediklerini elde edememelerinin tek sebebi, olmasını istedikleri şeyler yerine, olmasını istemedikleri şeyler üzerine düşünüyor olmalarıdır. Düşüncelerinizi dinleyin; söylediğiniz sözlere kulak verin. Bu yasa kesindir ve hiçbir yanılma payı yoktur.

İnsanoğlunun bugüne kadar gördüğü en büyük belalardan daha kötü bir salgın asırlardır ortalığı kasıp kavuruyor. Bu salgın hastalığın adı "istemiyorum" salgını. İnsanlar "istemedikleri" şeyleri baskın olarak düşünüp, konuşup, davranışlarına yansıtıp, onlara odaklandıkça bu salgının ayakta kalmasına sebep oluyorlar. Tarihi değiştirecek olan nesil ise biziz; çünkü bizi bu salgından kurtaracak bilgiyi elde etmekteyiz! Bu sizlerle başlayacak. Sizler sadece ne istediğinizi düşünüp, bundan bahsederek bu yeni düşünce akımının öncüleri olacaksınız.

BOB DOYLE

Çekim yasası sizin bir şeyi kötü ya da iyi olarak nitelendirmenize ya da onu isteyip istemediğinizle ilgilenmez. O sadece düşüncelerinize yanıt verir. Örneğin; bir yığın borcunuz olduğunu düşünüp kendinizi bundan dolayı kötü hissettiğinizde buna dair sinyalleri, "Borçlarım yüzünden kendimi kötü hissediyorum" mesajını Evren'e yollamış olursunuz.Yaptığınız şey kendi kendinizi doğrulamak, bunu varlığınızın her düzeyinde hissetmektir. Borçlarınızın artmasına sebep olan da budur.

Çekim yasası doğaya ait bir yasadır. Kişilerden bağımsızdır; mesajları iyi ya da kötü olarak değerlendirmez; sadece düşüncelerinizi alarak onları size yaşam deneyimi olarak geri gönderir. Çekim yasası, üzerinde düşündüğünüz şey ne ise onu verir.

LISA NICHOLS
YAZAR VE KİŞİSEL GÜÇLER SAVUNUCUSU

Çekim yasası gerçekten itaatkardır. İstediklerinizi düşünerek bütün kalbinizle bu dileklerinizin üzerine odaklandığınızda size onları mutlaka verecektir. Olmasını istemediğiniz şeylere odaklandığınızda örneğin "geç kalmak istemiyorum, geç kalmak istemiyorum" dediğinizde ise, çekim yasası sizin bunu istemediğinizi duymayacaktır. Bu yasa, siz ne düşünüyorsanız onu ortaya koyar ve bu, tekrar tekrar sahnelenmeye başlar. Çekim yasası neyi arzu edip neyi etmediğinizden etkilenmez. Bir şeye odaklandığınızda, bunun ne olduğuna bakılmaz ve siz onu yaşamınızda gerçek anlamda varolmaya çağırırsınız.

Düşüncelerinizi, gerçekleşmesini istediğiniz bir şeye odaklayarak, bu ilgi merkezini koruduğunuzda, isteğinizi evrende varolan en etkili güçle çağırabileceğiniz o anı yaşarsınız. Çekim yasası "hayır"ları, "değil"leri, "olmaz"ları ya da diğer olumsuzluk belirten sözcükleri hesaba katmaz. Siz olumsuz cümleler kurduğunuzda çekim yasası bunları şöyle kaydeder:

"Bu kıyafetimin üzerine bir şey dökmek istemiyorum".

"Bu kıyafetimin üzerine bir şey dökmek istiyorum; hatta birçok şey dökülsün istiyorum"

"Saçımın kötü kesilmesini istemiyorum".

"Saçımın kötü kesilmesini istiyorum".

"Ertelenmek istemiyorum".

"Ertelenmek istiyorum".

"O insanın bana kaba davranmasını istemiyorum".

"Onun ve başkalarının bana kaba davranmasını istiyorum".

"Restoranın masamızı başkalarına vermesini istemiyorum".

"Restoranların masamızı başkalarına vermelerini istiyorum".

"Bu ayakkabıların ayağımı vurmasını istemiyorum"

"Ayakkabıların ayağımı vurmasını istiyorum".

"Bu kadar işle başa çıkamam".

"Başa çıkamayacağım kadar çok iş istiyorum".

"Grip olmak istemiyorum".

"Grip olmayı ve başka hastalıklar da kapmayı istiyorum".

"Tartışmak istemiyorum".

"Daha çok tartışmak istiyorum".

"Benimle böyle konuşma".

"Senin ve başkalarının benimle böyle konuşmasını istiyorum".

Çekim yasası size, ne düşünüyorsanız onu verir. Nokta!

BOB PROCTOR

Siz ona inansanız da inanmasanız da, onu anlasanız da anlamasanız da, çekim yasası işleyişine daima devam eder.

Çekim yasası bir yaratım yasasıdır. Kuantum fizikçileri bize, Evren'in tamamının düşünceden doğduğunu söylerler! Siz hayatınızı düşünceleriniz aracılığıyla ve çekim yasasıyla yaratıyorsunuz; çevrenizde gördüğünüz herkes de bunu böyle yapıyor.Bu sadece siz bunu bildiğinizde çalışır diye bir şey yok.Bu yasa hayatınızda her zaman çalışır ve tarihte de herkesin hayatında çalışmıştır. Bu büyük yasayı fark ettiğiniz zaman, ne kadar akıl almaz bir gücün sahibi olduğunuzu ve yaşamınızı DÜŞÜNEREK var edebileceğinizi de fark edeceksiniz.

LISA NICHOLS

Siz ne kadar çok düşünürseniz, yasa o kadar çok çalışır Düşünceleriniz akarken çekim yasası sürekli çalışmaktadır. Geçmişi, içinde bulunduğunuz anı ya da geleceği düşündüğünüzde çekim yasası mutlaka çalışmaktadır. Bu, sürekli devam eden bir süreçtir. "Pause" ya da "Stop" düğmesine basamazsınız. Düşünceleriniz varoldukça bu yasa da sonsuz işleyişini, sürdürecektir.

Fark edelim ya da etmeyelim, zamanımızın çoğunu düşünerek geçiriyoruz. Biriyle konuşuyor veya birini dinliyorsanız; o an düşünüyorsunuz demektir. Gazete okuyor veya televizyon izliyorsanız; düşünüyorsunuz. Geçmişe dair anılarınızı hatırladığınızda; düşünüyorsunuz. Geleceğe dair plan yaptığınızda; düşünüyorsunuz. Araba kullanırken, ya da sabahları hazırlanırken de düşünüyorsunuz. Birçoğumuzun düşünmeye ara verdiği tek zaman dilimi uykuda olduğu zaman dilimi olmakla birlikte, çekim kuvvetleri uykuya dalmadan önce düşündüklerimiz üzerinde çalışmaya devam ederler. Uyumadan önce iyi şeyler düşünmeye çalışın.

MICHAEL BERNARD BECKWITH

Yaratım her zaman gerçekleşir. Bir bireyin bir düşüncesi olduğunda ya da bir şeyi uzun süredir kronik bir biçimde düşündüğünde, yaratım süreci işliyor demektir. Bu düşüncelerin doğuracağı bir şeyler olacaktır.

Şu an düşündükleriniz, gelecekte yaşayacaklarınızı doğuruyor. Yaşamınızı düşüncelerinizle siz yaratıyorsunuz. Sürekli düşündüğünüz için, sürekli yaratıyorsunuz. En çok düşündüğünüz ya da en çok odaklandığınız şey, yaşamınız olarak karşınıza çıkıyor.

Doğanın tüm yasaları gibi, bu yasada da tam bir mükemmellik vardır. Yaşamınızı siz kendiniz yaratırsınız. Ne ekerseniz onu biçersiniz! Düşünceleriniz tohumlar gibidir ve kaldıracağınız hasat, ektiğiniz tohumlara bağlıdır.

Yaşadıklarınızdan şikayet ediyorsanız, çekim yasası size şikayet edeceğiniz daha fazla şey getirecektir. Başına gelenlerden yakınan birini dinlerken, ona odaklanarak yakınlık gösterip onu onayladığınızda da, o an düşündükleriniz yakınılacak durumları kendinize çekmenize sebep olur.

Yasa, gayet basit çalışıyor ve düşüncelerinizle odaklandığınız ne varsa hepsini size yansıtarak geri veriyor. Bu etkili bilgiyle, düşündüklerinizi değiştirerek yaşamınıza dair her koşulu ve olayı kesinlikle değiştirebilirsiniz.

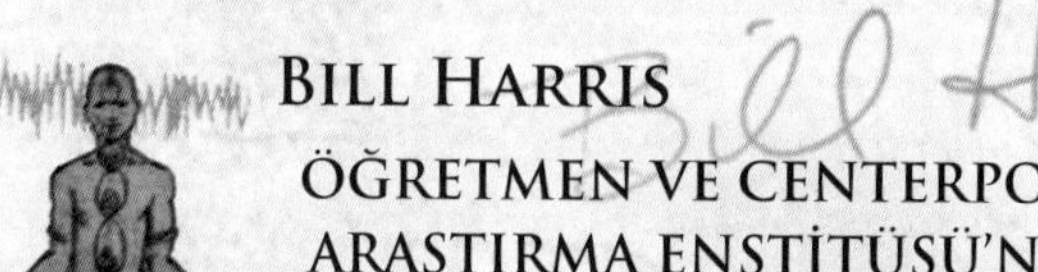

BILL HARRIS

ÖĞRETMEN VE CENTERPOINTE ARAŞTIRMA ENSTİTÜSÜ'NÜN KURUCUSU

Verdiğim kursa katılan ve bana e-posta ile ulaşan Robert adında bir öğrencim vardı.

Robert eşcinseldi. Yaşamındaki tüm keyifsizlikleri taslaklar halinde yazarak bana gönderiyor; işyerinde çalışma arkadaşlarının ona karşı birleştiklerinden bahsediyordu.

Kendisine karşı yapılan terbiyesizlikler yüzünden sürekli stres altında yaşıyor, sokakta yürüdüğünde ise, kendisini bir şekilde rahatsız etmek isteyen eşcinsellere karşı önyargılı insanların attıkları laflara maruz kalıyordu. Stand-up sanatçısı olmak istiyordu ama ne zaman bir stand-up şovuna çıksa, insanlar onu eşcinselliğiyle ilgili sorularıyla sıkıştırıyorlardı. Hayatı mutsuzluk ve ıstırapla doluydu ve odaklandığı konu eşcinsel olduğu için rahatsız edilmesiydi.

İşe, ona istemediği şeylere odaklandığını öğretmekle başladım. Onu, bana göndermiş olduğu iletiye doğru yönlendirerek; "Bunu tekrar oku ve olmasını istemediğin şeyler konusunda bana neler anlattığını tek tek incele. Bu konuda sana söyleyebileceğim şey, sıkıntıların konusunda son derece hırslı olduğun ve herhangi bir şeye bu denli tutkuyla odaklandığında, çok daha çabuk gerçekleşeceğidir!" dedim.

Sonra, yürekten istediği şeye odaklanması gerektiğini anladı ve bunu denemeye başladı. Bunu takip eden altı-sekiz hafta içinde yaşananlar ise kesinlikle mucizeydi. İşyerinde onu rahatsız eden insanlar ya başka bölümlere transfer oldular, ya şirketten ayrıldılar, ya da onu tamamıyla rahat bıraktılar. İşini sevmeye başladı. Sokakta yürürken de artık hiç kimse ona sataşmıyordu. Onu üzenler ortadan kaybolmuşlardı. Alışılagelmiş stand-up şovunu yaptığında ise coşkuyla alkışlanıp takdir ediliyor, hiç kimse onu köşeye sıkıştırmaya çalışmıyordu!

Tüm yaşamı değişmişti; çünkü olmasını istemediği, olmasından korktuğu, ya da kaçınmak istediği şeylere odaklanmaktan vazgeçerek, gerçekleşmesini istediği olaylara odaklanmıştı.

Robert'ın yaşamının değişmesinin sebebi, düşüncelerini değiştirmiş olmasıydı. Artık Evren'e farklı bir frekans yaymaya başlamıştı. Durum ne kadar imkansız görünürse görünsün, Evren bu yeni frekansa dair görüntüleri teslim etmek zorundaydı. Robert'ın yeni düşünceleri yeni frekansı olmuş, böylece tüm yaşamını kapsayan görüntüler değişmişti.

Yaşamınız avuçlarınızın arasında. şu an nerede olduğunuz, şimdiye kadar neler yaşadığınız hiç önemli değil; bilinçli olarak düşüncelerinizi değiştirmeye başlayabilir, hayatınızı değiştirebilirsiniz. Umutsuz durum diye bir şey yoktur. Yaşamınızdaki her türlü koşul değişebilir!

Beyninizin Gücü

MICHAEL BERNARD BECKWITH

Kendinize çektiğiniz düşünceler, bilinçli ya da bilinçdışı olarak, farkındalık düzeyinde tuttuğunuz baskın düşüncelerinizdir. İşin zorluğu buradadır.

Geçmişte düşüncelerinizin farkında olmuş olsanız da olmasanız da, şimdi onları fark edeceksiniz. İçinde bulunduğunuz bu an, "Sır"ra dair bilginin yardımıyla derin uykunuzdan uyanıp, farkındalık kazanmaktasınız! Artık, söz konusu bilgiyi, yasayı ve düşünceleriniz sayesinde sahip olduğunuz gücü fark etmektesiniz.

Dr. John Demartini

Dikkatli bakarsanız; "Sır"rın, zihnimizin ve niyetlerimizin gücünün günlük hayatımızı nasıl etkilediğini gayet net görebilirsiniz. Yapmamız gereken tek şey, gözlerimizi açmak ve dikkatle bakmak.

Lisa Nichols

Çekim yasasını her yerde görebilir; her şeyi kendinize çekersiniz. İnsanları, işi, koşulları, sağlığı, varlığı, borçları, mutluluğu, kullandığınız arabayı, içinde bulunduğunuz topluluğu... Tümünü bir mıknatıs gibi kendinize çeken sizsiniz. Üzerinde düşündüğünüz, üzerinize çektiğinizdir. Yaşamınızın tamamı kafanızın içinden geçen düşüncelere dair bir gösteridir.

Evren dışlamaz; içine alır. Çekim yasasının dışında kalan hiçbir şey yoktur. Yaşamınız sahip olduğunuz baskın düşüncelerin aynasıdır. Bu gezegende yaşayan tüm canlılar çekim yasasıyla çalışırlar. İnsanların farklılığı, ayırt edici bir zekalarının olduğunda ve düşüncelerini seçmek için özgür iradelerini kullanabilmelerindedir. İnsanlar bilinçli düşünerek hayatlarını beyinleriyle oluşturma gücüne sahipler.

Dr. Fred Alan Wolf

Kuantum Fizikçisi, Okutman ve Ödüllü Yazar

Size konuştuğum, hayal dünyasında yaşama, ya da gerçeklikten uzaklaşma noktası değil. Size daha derin ve temel bir anlayıştan bahsediyorum.

Kuantum fiziğinin aslında bu keşfi vurguladığı anlaşılmaya başlandı.Kuantum, Aklı işin içine sokmazsanız bir Evren'inizin de varolamayacağını ve algılanan her şeyi gerçek biçimlendirenin beyin olduğunu söyler.

Evrenin en güçlü yayın istasyonlarının bizler olduğu benzetmesini yeniden düşünürseniz, bu görüşün Dr.Wolf'un sözleriyle mükemmel bir korelasyon (bağıntı) kurduğunu da görebilirsiniz. Zihniniz düşünceler üretirken, yayınlanan görüntüler yaşam deneyimleriniz olarak size dönmektedir. Düşüncelerinizle sadece kendi hayatınızı yaratmakla kalmayarak, onlar aracılığıyla dünyanın yaratımına da güçlü bir biçimde katkıda bulunuyorsunuz. Daha önce hiç kendinizi önemsiz, dünyanın gidişatı üzerinde etkisiz hissettiğiniz oldu mu? Olduysa, bir kez daha düşünün. Çevrenizde yaşananları asıl şekillendiren sizin kendi zihninizdir.

Kuantum fizikçilerinin geçtiğimiz seksen yıl boyunca yaptıkları şaşırtıcı çalışmalar ve keşifler insan beynine dair bir muamma olan yaratma gücünü daha iyi anlamamızı sağladı. Bu çalışmalar, Carnegie, Emerson, Shakespeare, Bacon, Krishnamurti ve Buddha gibi dünyanın en büyük beyinlerinin söyledikleriyle paralellik gösteriyor.

BOB PROCTOR

Bir yasayı anlamamanız, onu reddetmenizi gerektirmez. Elektriği anlayamıyor olabilirsiniz ama yine de ondan faydalanırsınız. Elektriğin nasıl işlediğini bilmiyorum ama onu kullanarak birisine akşam yemeği pişirebileceğinizi biliyorum. Hatta isterseniz elektrikle o birisini bile pişirebilirsiniz!

MICHAEL BERNARD BECKWITH

Büyük Sırrı anlamaya başlayan insanlar genellikle sahip oldukları negatif düşüncelerden tedirgin olurlar. Oysa bilmeleri gereken bir şey vardır; bu da, olumlu bir düşüncenin, olumsuz bir düşünceden yüz kat daha güçlü olduğunun bilimsel olarak ispatlandığıdır. Bu bilgi bu noktada duyulan kaygıyı bir derece ortadan kaldırır.

Çok sayıda olumsuz düşünceye sahip olmak ve ısrarla olumsuz düşünmek size gerçek olumsuzluklar yaşatabilir. Belli bir zaman dilimi içinde ısrarla olumsuz düşünürseniz, o olumsuzluklar yaşamda karşınıza çıkarlar. Olumsuz düşünmekten kaygılandıkça, bu konuda daha çok endişeyi üzerinize çeker, olumsuz düşüncelerinizi kat kat arttırırsınız. Şu anda, bundan sonra sadece olumlu şeyler düşünmeye karar verin ve sahip olduğunuz olumlu düşüncelerin son derece güçlü, her türlü olumsuz düşüncenin ise çok daha güçsüz olduğunu bütün Evren'e ilan edin.

LISA NICHOLS

Tanrı'ya şükür bir bekleme süresi var ve bütün düşüncelerimiz anında gerçekleşmiyor. Aksi taktirde başımıza gelmeyen kalmazdı. Gecikme faktörü bize yardımcı olarak isteklerimizin üzerinde düşünüp, onları yeniden değerlendirmemize ve yeni seçimler yapmamıza fırsat tanıyor.

Hayatınızı oluşturmak için sahip olduğunuz gücün tamamı şu an kullanılmaya hazır bekliyor; çünkü şu an sizin düşündüğünüz bir an. Hayata geçtiklerinde size fayda sağlamayacak düşünceleriniz olmuş olabilir; böyle bir durum söz konusuysa, içinde bulunduğunuz bu an düşüncelerinizi değiştirebilmeniz mümkün. Daha önce sahip olduğunuz düşünceleri, yerlerine yenilerini getirerek silebilirsiniz. Zaman size hizmet ederken, yeni şeyler düşünebilir, yeni frekanslar yayabilirsiniz. Hemen şimdi!

DR. JOE VITALE

Düşüncelerinizin farkına varmayı, onları dikkatle seçmeyi ve bunu yaparken eğlenmeyi istersiniz; çünkü siz kendi yaşamınızın şaheserisiniz. Siz kendi yaşamınızın Michelangelo'susunuz ve işlediğiniz eser de yine kendinizsiniz.

Zihninize hakim olmanızın yollarından biri de onu huzura kavuşturmaktır. Bu kitaptaki istisnasız her öğretmen her gün meditasyon yapıyor. "Sır"rı keşfetmeden önce, meditasyonun bu kadar güçlü bir etkiye sahip olduğunu bilmezdim. Meditasyon zihninize huzur verir, düşüncelerinizi kontrol etmenize ve bedeninizi canlandırmanıza yardımcı olur. Burada iyi haber, saatlerce meditasyon yapmanız gerekmediğidir. Başlangıçta buna günde üç ila on dakikanızı ayırmanız, düşünceleriniz üzerinde kontrol kazanmanız konusunda şaşırtıcı derecede etkili olacaktır.

Düşünceleriniz üzerinde farkındalık kazanmak için "ben düşüncelerimin efendisiyim" cümlesi ile niyet çalışması da yapabilirsiniz. Bunu sık sık tekrarlayın,bunun üstüne meditasyon yapın, siz bu niyeti tuttukça, çekim yasası sayesinde bu gerçekleşecektir.

Şimdi burada, size dair en mükemmel versiyonu yaratmanızı sağlayacak bilgiyi alıyor; bu uyarlamanızın "en mükemmel versiyonunuz" frekansında zaten bulunma olasılığı olduğunu öğreniyorsunuz. Ne olmak, ne yapmak ya da neye sahip olmak istediğinize karar verin, bunun üzerine düşünün ve gerekli frekansı yayın; vizyonunuz hayatınız olacaktır.

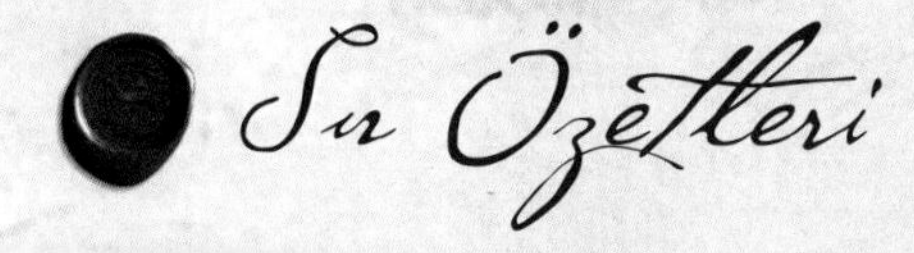

- *Hayatın Büyük Sırrı çekim yasasında gizlidir.*

- *Çekim yasası " benzer benzeri çeker" der. Böylece bir şey düşündüğünüzde ona benzeyen diğer düşünceleri de kendinize çekersiniz.*

- *Düşünceler manyetiktir ve birer frekansları vardır. Aklınızdan geçirdiğiniz düşünceler, Evren'e yollanarak, aynı frekansta bulunanları manyetik güçlerin etkisiyle size doğru çekerler. Göndermiş olduğunuz her şey kaynağına-Size geri döner.*

- *Siz düşünceleriniz aracılığıyla frekans yayan birer yayın kulesi gibi insanlarsınız. Hayatınızda herhangi bir şey değiştirmek istiyorsanız, düşüncelerinizi değiştirerek frekansı değiştirin.*

- *Şu an düşünmekte olduklarınız, gelecekteki yaşantınızı oluşturmakta. Üzerinde en çok düşündüğünüz ya da üzerine en çok odaklandığınız şey hayatınız olarak karşınıza çıkacaktır.*

- *Düşünceleriniz somutlaşır.*

Sır Basitleştirir

Michael Bernard Beckwith

Yerçekimi yasası gibi,yasaları olan bir evrende yaşıyoruz. Bir binadan düştüğünüzde, iyi ya da kötü bir insan olduğunuzun bir önemi yoktur; kesinlikle zemine çakılırsınız.

Çekim yasası doğaya ait bir yasadır. Tıpkı yerçekimi yasası gibi, çekim yasası da tarafsız, genel, kesin ve doğrudur.

Dr. Joe Vitale

Şikayet ettikleriniz dahil olmak üzere şu an sizi çevreleyen her şeyi yaşamınıza çeken yine siz kendinizsiniz. Şimdi, henüz işin başında bunu duymaktan nefret ettiğinizi biliyorum. Hemen "Trafik kazasını ben yaptırmadım. Bana bir sürü sıkıntı yaşatan o müşteriyi ben çekmedim. Borçları da ben çekmedim herhalde" gibi tepkiler vereceksiniz. Bense, size "evet siz çektiniz" demek için burada karşınızdayım. Bu, anlaşılması en zor kavramlardan biri olmakla birlikte, bir kez kabullendikten sonra, hayatınız değişmeye başlayacaktır.

İnsanlar "Sır"ra dair bu bilgiyi aldıklarında genellikle tarihe geri dönerek, kitlelerce insanın hayatını kaybettiği olayları hatırlıyor ve bu kadar çok insanın kendilerini böylesi bir olaya nasıl çekmiş olabileceğini anlayamıyorlar. Çekim yasasına göre bu insanlar bu olaylarla aynı frekansta olmalılar. İnsanların tam olarak aynı olayı düşünmeleri gerekmiyor; düşüncelerinin frekanslarının söz konusu olayla çakışması gerekiyor. Yanlış zamanda yanlış yerde olduklarına inanan, kendileri dışındaki koşullar üzerinde kontrolleri olmayan insanlar, korku, ayrılma kaygısı ve güçsüzlük gibi endişelerinde ısrarcı oldukları taktirde, yanlış zamanda yanlış yerde olma durumunu çekerler.

Şu an vermeniz gereken bir karar var: Kötü şeylerin her zaman başınıza gelebileceğine, bunun şans işi olduğuna ya da yanlış zamanda yanlış yerde olabileceğinize ve koşullar üzerinde kontrolünüz olmadığına mı inanmak istiyorsunuz?

Yoksa yaşam deneyiminizin kendi avuçlarınızın arasında olduğunu bildiğinize ve iyi şeylerin yalnızca sizin onları düşünmenizle hayatınızda yer alacağına mı inanmak istiyorsunuz? Seçme şansınız var ve hangisini düşünmeyi seçerseniz, onu yaşayacaksınız.

Sizin ısrarla düşünerek çağırmadığınız hiçbir şey yaşamınıza giremez.

Bob Doyle

Birçoğumuz olayları kontrol edemeyeceğimizi sandığımızdan olan biteni akışı içinde kendiliğinden çekeriz. Duygu ve düşüncelerimiz otomatik pilottadır ve böylece başımıza gelenler kendiliğinden bize doğru çekilmiş olur.

İstemediği bir şeyi bilerek çeken hiç kimse yoktur. Bazı istenmeyen olayların, siz dahil "Sır" konusunu bilmeyen insanların yaşantısına nasıl girdiğini anlamak kolay. Bunun sebebi, düşüncelere dair o müthiş yaratım gücünün farkında olunmamasıdır.

Dr. Joe Vitale

Bu anlatılanları ilk duyuşunuzsa; "Eyvah! Yoksa şimdi düşüncelerimi izlemek zorunda mı kalacağım? Bu beni çok uğraştıracak" diye düşünebilirsiniz. Başlangıçta size böyle görünse de, asıl eğlence burada başlıyor.

İşin keyfi "Sır"ra dair birçok kısa yol olmasında; çünkü, bunlar arasından size en uygun olanı seçmek yine size kalıyor. Okumaya devam edin; daha iyi anlayacaksınız.

Marci Shimoff

Yazar, Uluslararası Konuşmacı ve Dönüşümcü Lider

Sahip olduğumuz her düşünceyi denetlememiz imkansızdır. Araştırmacılar, günde yaklaşık altmış bin civarında düşünce ürettiğimizi söylüyorlar. Bu altmış bin düşüncenin tamamını kontrol etmeye çalışsak, nasıl bitap düşeceğimizi hayal edebiliyor musunuz? Çok şükür bunu halletmemizi kolaylaştıran bir faktör var: Duygularımız. Duygularımız bize neler düşündüğümüzü anlatır...

Duyguların önemini abartmıyorum. Onlar, kendi hayatınızı yaratırken size yardımcı olacak olan en önemli araçlarınız. Düşünceleriniz, yaşadığınız her şeyin başlıca nedenleridir.Duygularınız da dahil olmak üzere dünya üzerinde gördüğünüz ve yaşadığınız diğer ne varsa hepsi, birer sonuçtur. Neden, her zaman düşüncelerinizdir.

BOB DOYLE

Hislerimiz ne düşündüğümüzden haberdar olmamız için bize verilmiş en müthiş armağandır.

Duygularınız ne düşündüğünüzü size anında hissettirir. Duygularınızın bir anda çöktüğü bir durumu düşünün; mesela kötü bir haber ald›ğınız an. Midenizde ya da üçüncü çakranızdaki (solar plexus) o his, anlıktır. Bu da demektir ki, duygularınız ne düşündüğünüzü anlamanız için verilen anlık sinyallerdir.

Hissettiklerinizin farkında olmayı ve onlara uyum sağlamayı istersiniz; çünkü bu, ne düşündüğünüzü bilmenizin en seri yoludur.

LISA NICHOLS

İki çeşit duygu vardır: İyi duygular ve kötü duygular. Ve siz aradaki farkı gayet iyi bilirsiniz; çünkü iyiler size kendinizi iyi hissettirirken, kötüler kendinizi kötü hissetmenize sebep olurlar. Depresyon, öfke, alınganlık, suçluluk duygusu... Bunlar olumsuz duygulardır ve kendinizi güçlü hissetmenize izin vermezler.

Sizden başka hiç kimse size kendinizi iyi ya da kötü hissettiğinizi söyleyemez; çünkü, bunu yalnızca siz bilebilirsiniz. Duygularınızdan emin olmadığınızda; "Şu an ne hissediyorum?" diye kendi kendinize sorun. Gün içinde zaman zaman durup kendinize bu soruyu sorabilir, böylece duygularınıza dair daha fazla farkındalık kazanabilirsiniz.

Bilmeniz gereken en önemli şey, iyi şeyler düşünürken insanın kendisini kötü hissetmesinin imkansız olduğu. Bunun aksi, duygularınızın nedeninin düşünceleriniz olduğunu belirten yasaya aykırı düşer. Kendinizi kötü hissediyorsanız, aklınızdan size kendinizi kötü hissettiren düşünceler geçiriyorsunuz demektir.

Düşünceleriniz frekansınızı belirlerken, duygularınız da size o an hangi frekansta olduğunuzu bildirir. Kendinizi kötü hissettiğiniz zaman, daha fazla kötü şeyi kendinize çekme frekansında olursunuz. Çekim yasası buna cevap vererek size daha fazla olumsuz görüntü ile kendinizi kötü hissettirecek şey göndermek zorundadır.

Moraliniz bozuk olduğunda, kendinizi daha iyi hissetmek ve düşüncelerinizi değiştirmek için çaba sarf etmediğiniz taktirde, verdiğiniz mesaj : "Bana kendimi kötü hissetmem için daha fazla sıkıntı ver. Sıkıntıları bana getir!" olur.

LISA NICHOLS

İyi duygulara sahip olup, iyi şeyler hissettiğinizde ise, bunun tam tersi olur. Olumlu duyguların ne zaman geldiğini bilirsiniz, çünkü kendinizi iyi hissetmenizi sağlarlar.

Heyecan, sevinç, minnettarlık ve sevgi... Bu duyguları her gün hissettiğinizi bir düşünün. Olumlu duygularınızdan dolayı mutlu oldukça, size kendinizi iyi hissettirecek daha fazla olumlu duyguyu ve olguyu kendinize çekeceksiniz.

BOB DOYLE

Bu gerçekten de bu kadar basit. "Şu an kendime doğru çektiğim şey nedir?" Peki kendinizi nasıl hissediyorsunuz? "İyi hissediyorum". O zaman devam edin.

Hem olumsuz düşüncelere sahip olup, hem de kendinizi iyi hissetmeniz imkansızdır. Kendinizi iyi hissediyorsanız, bunun sebebi iyi şeyler düşünüyor olmanızdır. Görüyorsunuz ki, hayatta her istediğinize sahip olabilirsiniz. Bunun bir sınırı olmamakla birlikte işin içinde bir bityeniği de yok değil: Kendinizi iyi hissetmek zorundasınız. Peki ama istediğiniz şey de zaten bu değil miydi? Yasa gerçekten kusursuz çalışıyor.

MARCI SHIMOFF

Eğer kendinizi iyi hissediyorsanız, arzularınız doğrultusunda bir gelecek yaratıyorsunuz demektir. Eğer kötü hissediyorsanız, arzularınızın aksi yönünde bir gelecek oluşturmaktasınız. Siz gününüzü yaşarken, çekim yasası saniye sektirmeden çalışır. Düşündüğümüz ve hissettiğimiz her şey geleceğimizi yaratmaktadır. Gün boyu endişelenip kaygılandığınızda, bu duyguları artırarak hayatınıza çekersiniz.

Kendinizi iyi hissettiğiniz zamanlar, mutlaka iyi şeyler düşünüyorsunuzdur. Böyle durumlarda ilerleme kaydeder, daha çok iyiliği size geri getirerek kendinizi iyi hissetmenizi sağlayacak güçlü bir frekans yayarsınız. Kendinizi iyi hissettiğiniz zamanları değerlendirerek onları süt sağar gibi sağın. Mutlu olduğunuzda, daha çok iyi şeyi güçlü bir biçimde kendinize çekeceğinizi unutmayın.

Gelin bir adım ilerleyelim. Hisleriniz, Evren'le aranızda kurmuş olduğunuz ve aslında size ne düşündüğünüzü bildirmek için varolan bir iletişim biçimi olabilir mi?

JACK CANFIELD

Hislerimiz, gelişme gösterip göstermediğimiz ya da doğru yolda mı, yanlış yolda mı olduğumuz konusunda bize geri bildirim sağlayan bir mekanizmadır.

Yaşadığınız her şeyin temel kaynağının düşünceleriniz olduğunu hatırlayın. Buna göre, sürekli bir düşüncenizi aklınızdan geçirdiğinizde, bu mesaj derhal Evren'e yollanmaktadır. Böylece söz konusu düşünce gider, manyetik olarak benzer frekansa bağlanır ve birkaç saniye içinde de o frekansa dair bilgileri hisleriniz aracılığıyla size geri gönderir. Diğer bir deyişle, hisleriniz, hangi frekansta olduğunuzu anlamanız için Evren'in size geri gönderdiği bilgilerden oluşan bir iletişim biçimidir. Hisleriniz size ait bir frekans geribildirim mekanizmasıdır!

İyi şeyler hissettiğinizde, Evren'den size geri gelen haber; "İyi şeyler düşünüyorsun" olur. Aynı şekilde, kötü şeyler hissettiğinizde ise, Evren size "Kötü şeyler düşünüyorsun" bilgisini iletir.

Böylece, hissettiğiniz olumsuz duyguların, Evren'in sizinle kurduğu bir iletişim olduğunu söyleyebiliriz. Evren size; "Dikkat! şu an düşündüğün şeyi değiştir. Olumsuz frekans kayıtta. Frekansı değiştir. Dikkat! Geri sayım başlamıştır" diyor.

Bir dahaki sefere, kendinizi kötü hissettiğinizde ya da herhangi bir olumsuz duyguya kapıldığınızda, Evren'den aldığınız sinyale kulak verin. O an, size gelmekte olan iyilikleri olumsuz frekansta olduğunuz için engellediğiniz andır. Derhal düşüncelerinizi değiştirin ve olumlu bir şeyler düşünün; kendinizi iyi hissetmeye başladığınız anda yeni bir frekansa geçtiğinizi; Evren'in de bunu onaylayarak size olumlu hisler gönderdiğini anlayacaksınız.

BOB DOYLE

Düşündükleriniz çok fazla bağlayıcı olmayabilir ama, hissettiklerinizi aynen alırsınız.

İnsanların, ayak parmaklarını yataktan dışarı çıkarır çıkarmaz bir sarmalın içine düşme eğiliminde olmalarının nedeni de budur. Tüm günleri aynı gider. Duygularında yapacakları basit bir değişikliğin, günlerini-ve hayatlarını bütünüyle değiştireceğini bilmezler.

Güne güzel başlar ve o mutluluk duygusu içinde kalırsanız,herhangi bir şeyin ruh halinizi değiştirmesine izin vermediğiniz sürece, çekim yasası gereğince, yaşadığınız mutluluk duygusunu sürekli kılacak birçok durumu ve insanı kendinize çekersiniz.

Hepimiz, bir tersliğin diğerini izlediği günler veya dönemler yaşamışızdır. Siz fark edin ya da etmeyin, tepki zinciri tek bir düşünceyle başlar. O bir tek olumsuz düşünce, diğer olumsuz düşünceleri kendine çeker, frekansınız buraya kilitlenir ve size bir terslik yaşatır. O olumsuz olaya tepki verdiğinizde ise, daha fazla tersliği üzerinize çekersiniz. Tepkiler benzerlerini kendilerine çekerek çoğalırlar ve bu tepki zinciri siz kendinizi o frekanstan çıkararak bilinçli bir şekilde düşüncelerinizi değiştirene kadar devam etmek durumundadır.

Düşüncelerinizi istekleriniz doğrultusunda yönlendirebilir, hisleriniz aracılığıyla frekansınızı değiştirdiğinize dair onay alabilirsiniz. Böylece çekim yasası bu yeni frekansa tutunacak ve bu frekansın içeriğini hayatınızın yeni görüntüleri olarak size geri gönderecektir.

Hislerinizi kullanacağınız, onlardan faydalanacağınız yer burasıdır. Onları, yaşamak istediklerinizi ekstra güçle hayatınıza yüklemek için kullanın.

Duygularınızı maksatlı bir biçimde kullanarak, isteklerinizi hislerinizle zenginleştirebilir, böylece daha güçlü bir frekans yaymayı bile başarabilirsiniz.

MICHAEL BERNARD BECKWITH

Şu andan itibaren kendinizi sağlıklı ve başarılı hissetmeye başlayabilir; sizi kuşatan sevgiyi bu doğru olmasa bile duyumsayabilirsiniz. Evren size şarkınızın doğasına, o en derin içsel duygunuza uygun bir karşılık vererek bunu hayata geçirecektir; çünkü hissetmenin yöntemi budur.

Peki şu an ne hissediyorsunuz? Birkaç dakika durup ne hissettiğinizi düşünün. Kendinizi arzu ettiğiniz kadar iyi hissetmiyorsanız, duygularınızı kendi içinizde duyumsamaya odaklanın ve onları kendi isteğinizle yükseltin. Duygularınıza, moralinizi yükseltme isteğiyle bilinçli ve yoğun bir biçimde odaklandığınızda, onları etkili bir biçimde geliştirebilirsiniz. Bunun yollarından biri, (dikkatinizi dağıtabilecek faktörleri engellemek üzere) gözlerinizi kapatarak içinizdeki duygulara odaklanmanız ve bir dakika süre-since gülümsemenizdir.

LISA NICHOLS

Hayatınız, duygu ve düşüncelerinizden meydana gelir. Garanti ediyorum! Bu her zaman böyle olacaktır.

Tıpkı yerçekimi kanunu gibi, çekim yasası da asla yanılmaz. Yerçekimi kanunu hata yapıp o gün kuzuları es geçtiği için havada uçan kuzular görmeniz mümkün değildir. Aynı şekilde, çekim yasasının dışında kalan herhangi bir şey de yoktur. Başınıza gelen bir şey varsa, onu ısrarlı düşüncelerinizle çeken siz olmuşsunuzdur. Çekim yasası kesindir.

MICHAEL BERNARD BECKWITH

Kabullenmesi zor olmakla birlikte, kendimizi buna açmaya başladığımızda, alacağımız sonuç etkileyici olacaktır. Bunun anlamı, şu ana kadar hayatınıza çekmiş olduğunuz düşünce hangi düşünceniz olursa olsun, yapacağınız bilinçli bir yer değiştirmeyle bu durumdan kurtulabilirsiniz.

Her şeyi değiştirme gücüne sahipsiniz; çünkü düşüncelerinizi seçen ve duygularınızı hisseden tek kişi sizsiniz.

"Bu yolculukta insan, kendi evrenini kendisi yaratır".

Winston Churchill

Dr. Joe Vitale

Kendinizi iyi hissetmeniz gerçekten çok önemli; çünkü bu iyilik duygusu sizden Evren'e yayılan ve kendisini çoğaltarak size doğru çekilen bir sinyal. Böylece kendinizi mutlu hissetmeyi başardıkça, mutlu olmanıza yardımcı olacak faktörleri de daha çok kendinize çekecek, gittikçe daha çok yükselebileceksiniz.

Bob Proctor

Kendinizi moralsiz hissettiğinizde, bunu çabucak değiştirebileceğinizi biliyor musunuz? Güzel bir müzik çalarak ya da şarkı söyleyerek ruh halinizi değiştirebilirsiniz. Güzel şeyler düşünmek de işe yarar. Bir bebeği ya da çok sevdiğiniz birini düşünün ve bu düşüncede kalın. Bu düşünceyi zihninizde tutarak, ondan başka hiçbir şeyin size ulaşmasına izin vermeyin; kesinlikle kendinizi iyi hissedeceksiniz. Bunu size garanti ediyorum.

Gerekli durumlarda kullanmak üzere "Sırrın İpuçları" adını vereceğiniz bir liste yapın. "Sırrın İpuçları" derken, bir çırpıda duygularınızı değiştirebilecek şeylerden bahsediyorum. Bunlar; güzel anılar, gelecekle ilgili olaylar, eğlenceli anlar, doğa, sevdiğiniz bir kişi, en beğendiğiniz müzik gibi unsurlar olabilir. Böylece, kendinizi öfkeli veya engellenmiş hissettiğiniz bir durumda, ya da moraliniz bozuk olduğunda, önceden hazırlamış olduğunuz bu "Sırrın İpuçları" listenize dönebilir, oradan seçeceğiniz bir konuya odaklanabilirsiniz. Farklı şeyler sizi, farklı zamanlarda farklı yerlere götürebilir, bu yüzden biri işe yaramazsa diğerini seçin. Kendinizi, dolayısıyla frekansınızı farklı bir odağa yönlendirmek yalnızca bir iki dakikanızı alacaktır.

Sevgi: En Müthiş Duygu

JAMES RAY

FİLOZOF, KONUŞMACI, YAZAR, BAŞARI VE İNSAN POTANSİYELİ PROGRAMLARININ YARATICISI

Evcil hayvan besliyorsanız, iyi hissetme prensibini uygulamak için ona başvurabilirsiniz. Hayvanlar müthiştir, kendinizi iyi hissetmenizi sağlarlar. Onları sevdiğinizde, sevginin muhteşem etkisi hayatınıza iyilik getirir. Zaten bir armağan da böyle olur.

"Çekim yasasının karşı konulmaz gücünü oluşturan şey, sevgi ile düşüncenin bir araya gelişidir."

Charles Haanel

Evren'de sevginin gücünden daha büyük bir güç yoktur. Sevgiyi duyumsadığınızda, yayabileceğiniz en yüksek frekansı yayarsınız. Sahip olduğunuz bütün düşünceleri sevgiyle sarıp sarmalayabilirseniz, her şeyi ve herkesi sevebilirseniz, dönüşümü yaşarsınız, hayatınız değişir.

Aslında, geçmişteki büyük düşünürlerden bazıları, çekim yasasından sevgi yasası olarak söz etmişlerdi. Üzerinde biraz düşününce bunun nedenini anlamak kolay. Örneğin; birisi hakkında hoş olmayan bir şeyler düşündüğünüzde, bu çirkin düşünceleri kendi hayatınızda görürsünüz. Düşüncelerinizle başkalarına zarar vermeniz mümkün değildir; bu yolla ancak kendinize zarar verirsiniz. Sevgiye dair düşündüğünüzde ise, bilin bakalım bundan faydalanan kim olur: tabii ki, siz! Böylece etkisinde olduğunuz baskın durum sevgi olduğunda, çekim yasası ya da sevgi yasası, size tüm gücüyle yanıt verir, çünkü o sırada siz, mümkün olan en yüksek frekanstasınızdır. Hissettiğiniz ve yaydığınız sevgi ne kadar çoksa, size faydalı olacak doğal güçleriniz de o kadar etkilidir.

> "Düşünceye, nesnesiyle birleşmesi, dolayısıyla buna karşıt bütün yaşamsal deneyimleri bastırması için dinamik gücü veren prensip, çekim yasası, diğer adıyla söylemek gerekirse sevgi yasasıdır. Bu sonsuz ve temel prensip her varlığın, her felsefik sistemin, her dinin, her bilimin doğasında bulunur. Sevgi yasasından kaçış yoktur. O, düşünceye canlılık veren duygudur. Hissetmek arzudur; arzu da sevgi. Sevgiyle aşılanmış bir düşünceyi yenmek mümkün değildir."
>
> *Charles Haanel*

MARCI SHIMOFF

Duygu ve düşüncelerinize gerçek anlamda hakim olmayı bir kez anlamaya başladığınızda, kendi gerçeğinizi nasıl yarattığınızı da göreceksiniz. Bağımsızlığınızın ve gücünüzün kaynağı buradadır.

Marci Shimoff, büyük dahi Albert Einstein'ın sözlerinden yapmış olduğu şu alıntıdaki görüşü paylaşıyor: "Herhangi bir insanoğlunun kendisine sorabileceği en önemli soru: 'Bu Evren bana dost mudur?' sorusudur".

Bu soruya, çekim yasasını bilerek verilecek tek cevap "Evet, Evren dostumdur" olur. Neden? Çünkü, çekim yasasına göre, ne cevap verdiyseniz onu yaşamanız gerekiyor. Albert Einstein bu etkili soruyu sordu; çünkü "Sır"ra vakıftı. Bu soruyu sorarak bizi düşünmeye ve bir seçim yapmaya zorlayacağını biliyordu. Sadece soruyu sormakla bile, bize müthiş bir fırsat tanımıştı.

Einstein'ın bu niyetini biraz daha ileri götürmek için onu onaylayıp; "Evren muhteşem; bütün iyilikleri bana getirip, her şeyi benim iyiliğim doğrultusunda düzenliyor. Yaptığım her şeyde beni destekleyip, tüm ihtiyaçlarımı anında karşılıyor" diyebilirsiniz. Evren'in dostunuz olduğunun bilincine varın!

JACK CANFIELD

"Sır"rı öğrenip, yaşantıma uygulamaya başladığımda, hayatım gerçekten sihirli bir hal almaya başladı. Herkesin hayalini kurduğu bir yaşantıyı gün be gün yaşıyorum. Dört buçuk milyon dolarlık bir malikanem, muhteşem bir eşim var. Tatillerde dünyanın en güzel yerlerine gidiyor, dağlara tırmanıp, keşfediyor, safarilere çıkabiliyorum. Bütün bunların gerçekleşmiş ve gerçekleşmekte olmasının nedeni ise, "Sır"rın nasıl uygulanacağını bilmemdir.

Bob Proctor

"Sır"dan faydalanmaya başladığınızda, hayat kesinlikle olağanüstüleşiyor, öyle de olmalı ve olacaktır.

Bu sizin hayatınız; ve sizin tarafınızdan keşfedilmeyi bekliyor! şimdiye kadar, hayatın zor ve başlı başına bir mücadele olduğunu düşünmüş, bu yüzden de çekim yasası gereği hayatı zor bir mücadele olarak yaşamış olabilirsiniz. Şimdi ise evrene; "Hayat çok kolay! Hayat çok güzel! İyi olan ne varsa bana geliyor!" diye haykırmaya başlayın.

İçinizin derinliklerinde sizin tarafınızdan keşfedilmeyi bekleyen bir gerçek var; ve bu "Gerçek"; yaşamın size sunmak zorunda olduğu tüm iyi şeyleri hakettiğinizdir. Bu bilgiye doğuştan vakıf olduğunuz için, iyi şeyler yaşamadığınızda kendinizi çok kötü hissedersiniz. Bütün iyi şeyler doğuştan hakkınızdır! Siz, kendi yaşad›klar›n›z›n yaratıcısısınız; çekim yasası ise, yaşamak istediğiniz her şeyi yaratmak için sahip olduğunuz olağanüstü donanımınızdır. Hayatın büyüsüne ve Kendi ihtişamınıza hoş geldiniz!

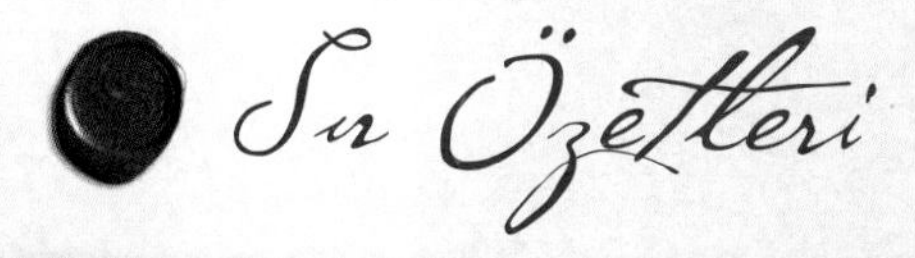

- *Çekim yasası doğaya ait bir yasadır.Yerçekimi yasası kadar gerçektir.*

- *Israrla düşünerek çağırmadığınız hiçbir şey yaşantınıza giremez*

- *Ne düşündüğünüzü anlamak için, kendinize ne hissettiğinizi sorun. Hislerimiz, bize o an ne düşündüğümüzü anlatan değerli birer araçtır.*

- *İyi şeyler düşünürken, insanın kendisini kötü hissetmesi imkansızdır.*

- *Düşünceleriniz frekansınızı belirlerken, duygularınız size o an hangi frekansta olduğunuzu bildirir. Kendinizi kötü hissettiğiniz bir anda, daha çok olumsuzluğu kendinize çekmeye uygun bir frekanstasınız demektir. İyi hissettiğinizde ise, daha çok iyiliği güçlü bir biçimde kendinize çekersiniz.*

- *Güzel anılar, doğa, en sevdiğiniz müzik, gibi "S›rr›n İpuçlar›" adıyla anılan bazı faktörler duygularınızı değiştirerek bir anda başka frekansa geçmenizi sağlarlar.*

- *Sevgi, yayabileceğiniz en yüksek frekansa sahiptir. Hissettiğiniz ve yaydığınız sevgi ne kadar büyükse, kullandığınız doğal güç de o kadar etkilidir.*

Sır Nasıl Kullanılır?

Siz, kendi yaşamınızın yaratıcısısınız ve çekim yasasını kullanarak yaratmanın basit bir süreci var. En büyük öğretmenlerle yaşayan efsane insanlar arasında, büründükleri sayısız biçim içinde gerçekleştirdikleri olağanüstü çalışmalarda bu Yaratıcı Süreci bizimle paylaşanlar oldu. Bazı büyük öğretmenler, Evren'in işleyişini anlatan hikayeler oluşturdular. Hikayelerindeki bilgelik, asırlar boyu kuşaktan kuşağa aktarılarak efsaneleşti. Günümüzün insanlarının çoğu ise, bu hikayelerin özünde, hayatın en temel gerçeğinin gizli olduğunu hala bilmiyorlar.

JAMES RAY

Alaaddin'in lambası hikayesini düşünün. Alaaddin lambayı alır, ovalar ve "Cin" lambanın içinden çıkar. Cin sürekli aynı şeyi söyler:

"Dileğin benim için emirdir!"

Hikaye dilden dile aktarıldıkça dilek sayısı üç olmuşsa da, geriye, efsanenin doğuşuna doğru iz sürdüğünüzde, dileklerin nicelik ya da niteliği konusunda herhangi bir sınırlama olmadığını görüyorsunuz.

Bunun üzerinde düşünün.

Şimdi, gelin bu benzetmeyi alıp, hayatınıza uygulayalım. Hatırlarsanız Alaaddin sürekli bir şeyler isteyen bir tiplemeydi. Cin ise burada Evren'i temsil ediyor. Birçok gelenekte kutsal koruyucu meleğiniz ya da yüksek benliğiniz gibi birçok farklı adla anılmış olsa da, bizden büyük, yüce bir varlık olduğu konusunda hemfikir olunmuştur. Bu yüzden bizler ona istediğimiz adı verebiliriz, siz de kendinize en uygun tanımlamayı seçebilirsiniz...

Ve Cin daima aynı şeyi söyler:

"Dileğin benim için emirdir!"

Bu muhteşem hikaye, hayatınızın tamamının ve içerdiği her şeyin Siz'in tarafınızdan yaratılmış olduğunu örneklerle açıklıyor. Cin sadece emirlerinizi yerine getirir. Cin, çekim yasasıdır ve sizin düşündüklerinizi, konuştuklarınızı ve yaptıklarınızı izlemek için daima işbaşındadır. Cin üzerinde düşündüğünüz, konuştuğunuz ve etkilediğiniz her şeyi istediğinizi varsayar! Siz, Evren'in gözbebeğisiniz; Cin ise, size hizmet etmek için hazır beklemekte. Cin emirlerinizi asla sorgulamaz. Siz düşünürsünüz ve O, dileğinizi gerçekleştirmek için gücünü kullanarak, insanlar olaylar ve durumlar aracılığıyla Evren'i harekete geçirir.

Yaratım Süreci

"Sır" da kullanılan Yaratım Süreci, isteklerinizi üç adımda gerçekleştirmenize yarayacak basit bir kılavuzdur:

1. Adım: İstemek

LISA NICHOLS

İlk adım istemektir. Evren'e komut verin ve ne istediğinizi bilmesini sağlayın; düşüncelerinize cevap verecektir.

BOB PROCTOR

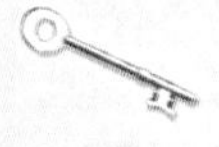

Gerçekten istediğiniz şey nedir? Oturup düşünün ve bunu bir kağıda yazın. Yazarken şimdiki zaman kipi kullanın. İsterseniz; "..........'dan dolayı çok mutlu ve müteşekkirim" benzeri bir cümleyle bağlayabilir, her alanda nasıl bir hayat yaşamak istediğinizi anlatabilirsiniz

Ne istediğinize karar vermeli, fakat istekleriniz konusunda son derece net olmalısınız. Başarmak size kalmış; çünkü yeterince net olmadığınız taktirde çekim yasası size istediğinizi veremez. Böyle bir durumda, karışık frekanslar yollayacağınız için alacağınız sonuç da karışık olacaktır. Belki de hayatınızda ilk kez, gerçekte ne istediğiniz üzerine oturup düşünün. Artık, istediğiniz her şeyi yapabilip, elde edebileceğinizi, her şey olabileceğinizi ve bunun bir sınırı olmadığını biliyorsunuz. Peki ne istiyorsunuz?

İstemek Yaratım Süreci'nin ilk adımıdır; bu yüzden istemeyi alışkanlık haline getirin. Bir seçim yapmak zorunda olduğunuzda, ne yöne gitmeniz gerektiğini bilmiyorsanız, bunu Evren'e sorun! Hayatınızdaki hiçbir şey için bunalmanız gerekmiyor. Sadece isteyin yeter!

DR. JOE VITALE

Evren'i kendiniz için hazırlanmış bir katalogmuş gibi görmek gerçekten eğlenceli oluyor. Sayfaları çevirip, çevirip; "Bu deneyimi yaşamak isterim, bu ürüne sahip olmak isterim, hayatımda böyle bir insan olmasını isterim" demek çok güzel. Evren'e direktif veren kişi olmak gerçekten bu kadar kolay.

Bir şeyleri defalarca tekrar tekrar istemeniz gerekmiyor. Sadece bir kez isteyin. Tıpkı katalogdan bir şey seçip sipariş eder gibi; bir kez sipariş etmek yeterli. Bir şeyleri ısmarladıktan sonra, siparişinizin alınıp alınmadığından şüphe duyarak, bunu defalarca tekrarlamaz, bir kez istersiniz. Yaratıcı Süreç için de aynı şey geçerlidir. Birinci adım; isteklerinizi kesinleştirme adımıdır. Dileğinizi zihninizin içinde netleştirdiğinizde, onu zaten istemiş olursunuz.

2. Adım: İnanmak

LISA NICHOLS

İkinci adım inanmaktır. İsteğinizi elde ettiğinize inanın. Benim mutlak inanç olarak adlandırmayı sevdiğim bu inanca siz de sahip olun. Mutlak inanç, görünmeyene inanmaktır.

Dileğinizi elde ettiğinize inanmalısınız. İstediğiniz şeyin, onu Evren'den istediğiniz andan itibaren sizin olduğunu bilmelisiniz. İnancınız tam ve eksiksiz olmalı. Katalogdan bir şey ısmarladıysanız, rahat olun, siparişinizin size ulaşacağını ve bunun hayatınızın bir parçası olacağını bilin.

> "İstediğiniz şeyleri zaten sizinmiş gibi görün. ihtiyaç duyduğunuzda size geleceklerini bilin ve gelmelerine izin verin. Huysuzlanıp kaygılanmayın. Eksiklikleri üzerinde düşünmeyin. Sizin, size ait ve zaten sizin malınız olduklarını düşünün"
>
> Robert Collier (1885–1950)

İstediğiniz, inandığınız ve görünmeyen bir mecrada ona zaten sahip olduğunuzu bildiğiniz anda, Evren onu görünür kılmak için harekete geçecektir. Dileğinize o an sahip olmuşsunuz gibi davranmalı, öyle konuşmalı ve öyle düşünmelisiniz. Neden? Çünkü Evren bir aynadır ve çekim yasası baskın düşüncelerinizi size geri yansıtmaktadır. Böyle düşünüldüğünde, kendinizi dileğinizi elde ederken görmek daha anlamlı geliyor değil mi? Düşünceleriniz henüz dileğinizi elde etmediğiniz konusunda dönüp durursa, arzu ettiğinize ulaşamama durumunu kendinize çekmeyi sürdürürsünüz. Şimdiden ona ulaştığınıza, isteğinizi elde ettiğinize inanmalısınız.

Dileğinize ulaşmış olma duygusuna dair frekans yaymalı, o görüntüleri hayatınıza geri getirmelisiniz. Bunu yaptığınızda, çekim yasası koşulları, insanları ve olayları etkili bir biçimde harekete geçirerek, sizin dileğinizi elde etmenizi sağlayacaktır. Tatil rezervasyonu yaptırdığınızda, yepyeni bir araba ısmarladığınızda ya da bir ev satın aldığınızda bunların sizin olduğunu bilir; gidip aynı dönem için bir tatil rezervasyonu daha yaptırmaz ya da ikinci bir araba veya ev satın almazsınız. Piyangodan ikramiye kazansanız, ya da büyük bir mirasa konsanız, parayı nakit olarak elinize almadan önce de onun size ait olduğunu bilirsiniz. Bu, onların sizin olduklarına inanma duygusudur. Onlara dokunmadan önce bile sahip olduğunuza, parayı aldığınıza inandığınızı gösterir. İstediğiniz şeyleri hissederek ve onlara sahip olduğunuzu duyumsayarak üzerlerinde hak iddia edin. Bunu yaptığınızda, çekim yasası bir kez daha, koşulları, insanları ve olayları etkili bir biçimde harekete geçirerek, dileğinizi elde etmenizi sağlayacaktır.

Kendinizi inanma noktasına nasıl getireceksiniz? İnanıyormuş gibi yapmaya başlayın. Tıpkı bir çocuk gibi davranın ve dileğinizin gerçekleştiğine hayali olarak inanın ve istediğiniz zaten olmuş gibi davranın. Gerçekmiş gibi davrandıkça, duruma inanmaya başlayacaksınız. Cin, tam olarak dilekte bulunduğunuz anda ne istediğinizle değil, sürekli ve ısrarlı düşüncelerinizle ilgilenir. İşte bu yüzden, ondan bir şey istedikten sonra, inanmaya ve bilmeye devam etmeniz gerekir. Güven duyun. İstediklerinizi elde edeceğinize dair inancınız, ölmez güveniniz en etkili gücünüzdür. Elde etmekte olduğunuza inandığınızda, hazır olun ve başlayan sihri izleyin!

> Kalıbı kendi düşünceleriniz içinde nasıl şekillendireceğinizi bilirseniz, istediğiniz her şeye sahip olursunuz. Sizin aracılığınızla çalışan Yaratıcı Güç'ün nasıl kullanılacağını öğrenmeniz şartıyla, gerçekleşemeyecek düşünüz yoktur. Bir kişi için işe yarayan bir yöntem, geri kalanlar için de işe yarar.

Gücün anahtarı, sizde olanı ... rahatça, tam olarak... kullanmanızda... ve böylece daha fazla Yaratıcı Güç'ün size doğru akması için kanallarınızı sonuna kadar açmanızda gizlidir."

Robert Collier

DR. JOE VITALE

Evren isteklerinizi yerine getirmek için kendisini yeniden düzenlemeye başlayacaktır.

JACK CANFIELD

Birçoğumuz nasıl gerçekleşeceklerini anlayamadığımız için, asıl isteklerimizi dileme iznini kendimizden esirgeriz.

BOB PROCTOR

Ufacık bir araştırma yaparak bile, bugüne kadar başarılı olmuş insanların hiçbirinin bunu nasıl yapacaklarını önceden bilmediklerini gayet net anlayabilirsiniz. Onlar sadece başaracaklarını biliyorlardı.

DR. JOE VITALE

İşin nasılını bilmeniz gerekmez. Evren'in kendisini nasıl yeniden düzenleyeceğini bilmeye ihtiyacınız yok.

Dileğinizin nasıl gerçekleşeceği, Evren'in onu size nasıl getireceği sizin sorununuz ya da meseleniz değildir. Evren'in bunu sizin için yapmasına izin verin. İsteklerinizin ne şekilde gerçekleşeceği üzerinde düşünmeye başladığınızda, güven eksikliği içeren bir frekans yayar, olmasını arzuladıklarınıza zaten sahipmiş gibi yapmayı beceremezsiniz. İsteklerinize kendi çabanızla ulaşmanız gerektiğini düşünür, Evren'in bunu sizin için yapacağına inanmamış olursunuz. Yaratıcı Süreç içinde "nasıllar" sizin payınıza düşmüyor.

Bob Proctor

Dileğinizin size ne şekilde gösterileceğini bilmezsiniz. Sizin kendinize çekeceğiniz şey dileğinize ulaşmak.

Lisa Nichols

Çoğunlukla, isteklerimizi göremediğimizde, kendimizi engellenmiş hisseder, düş kırıklığına uğrar, şüphe duymaya başlarız. Şüphe bize yıkım duygusu getirir. Şüpheyi alın ve değiştirin. Bu duyguyu fark ederek, yerine sarsılmaz bir güven koyun. "Dileğimin bana gelmek üzere yolda olduğunu biliyorum" deyin.

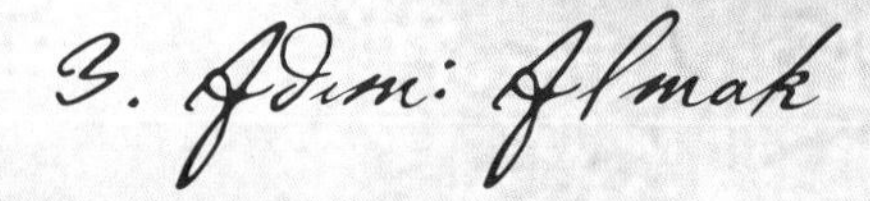

Lisa Nichols

Sürecin üçüncü ve son adımı, almak. Bununla ilgili olarak kendinizi çok iyi hissetmeye başlayın. Dileğiniz size ulaştığında kendinizi nasıl hissedecekseniz şimdi de öyle hissedin. Bunu şimdiden yapın.

Marci Shimoff

Bu süreç içinde insanın kendisini iyi hissetmesi ve mutlu olması önemli; çünkü, kendinizi iyi hissettiğinizde, Evren'den istediklerinizle aynı frekansa geçiyorsunuz.

Michael Bernard Beckwith

Bu Evren hisler Evrenidir. İnancınız entelektüel düzeyde kaldığı ve altında ona uygun duygu olmadığı taktirde, isteklerinizi hayatınızda görmek için yeterli güce de sahip olamazsınız. Bunu hissetmek zorundasınız.

Önce bir kez isteyin, isteğinizi aldığınıza inanın, onu gerçekten almak için yapmanız gereken şey ise, kendinizi iyi hissetmekten ibaret. Kendinizi iyi hissettiğinizde, istediklerinizi elde etmek ve size gelmekte olan bütün iyi şeyleri almak için uygun frekansta oluyor, dilediğiniz şeye ulaşmak üzere bekliyorsunuz. Elde ettiğinizde sizi mutlu etmeyecek bir şeyi dilemezdiniz değil mi? Bu yüzden, kendinizi iyi hissetme frekansına alın, böylece istediğiniz olacak.

Kendinizi bu frekansa geçirmenizin hızlı yollarından biri de; "Şu an isteğimi elde ediyorum. Yaşantımdaki bütün iyi şeyleri şu an alıyorum. şu an [...burada kendi arzunuzu söyleyin...] alıyorum" demektir. Ve bunu hissedin. Arzunuzu elde etmiş olduğunuzu hissedin.

Marcy çok sevdiğim bir arkadaşım ve gördüğüm en büyük gerçekleştiricilerden biridir; her şeyi hisseder. Evren'den istemekte olduğu şeye sahip olmayı hissetmenin nasıl bir şey olduğunu hisseder. Her şeyin varlığını hisseder. Nasıl, ne zaman, nerede olacağıyla ilgilenmeyerek sadece hisseder ve arzuları gerçekleşir.

Bu yüzden, şimdi kendinizi iyi hissedin.

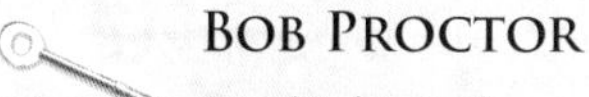

BOB PROCTOR

Bu düşlemi olguya dönüştürdüğünüzde, çok çok daha büyük fanteziler oluşturacak bir konuma gelirsiniz. İşte arkadaşlar Yaratım Süreci budur.

"İnanarak, yakararak istediğin ne varsa, hepsini alacaksın."

Matthew 21:22

"Ne istemiş olursan ol, dileğin için dua ederken, onu elde etmekte olduğuna inan, ona erişeceksin."

Mark 11:24

BOB DOYLE

Çekim yasası, Çekim yasasının incelenmesi ve uygulanması, dileğinizin şimdi gerçekleşmiş olduğuna dair duyguları üretmek için size neyin faydalı olacağını anlamaktan ibarettir. Düşlediğiniz o arabanın deneme sürüşüne gidin. Arzu ettiğiniz o ev için bir şeyler alın; içine girip gezin. Düşlediğiniz şeye sahip olduğunuz duygusunu yaratmak için yapmanız gereken ne varsa yapın ve bu duyguyu hatırlayın. Dileğinize erişmek için yapabileceğiniz her şey, onu size çekmeye yarayacaktır.

Arzu ettiğiniz şeye şu an sahipmişsiniz gibi hissettiğinizde, bu duygu o kadar gerçektir ki, onu zaten elde etmişsiniz gibi hisseder, gerçekleştiğine ve gerçekleşeceğine inanırsınız.

BOB DOYLE

Bir gün uyandığınızda arzu ettiğiniz şey sizinle olabilir. Dileğiniz hayata geçmiştir. Yapılması gerekenler konusunda aklınıza yeni bir fikir gelmiş olabilir. Cevabınız kesinlikle; "Bunu ben de böyle yapabilirdim, ama yapmak istemedim" olmamalı. Böyle davrandığınızda doğru istikamette olmazsınız.

Bazen eylem gerekir, bunu Evren'in sizi götürmek istediği doğrultuda yaparsanız,bundan keyif duymaya başlar, kendinizi son derece canlı hissedersiniz. Sanki zaman durur ve siz gün boyu faaliyetinizi sürdürürsünüz.

Eylem bazı insanlar için "çalışma"yı çağrıştırmakla birlikte, esin veren eylem pek de iş gibi gelmeyecektir. Esin veren faaliyetle, faaliyet arasındaki fark şudur: Evren'den istediğinizi almak için harekete geçtiğinizde, ırmakla birlikte aynı yöne aktığınızı hissedersiniz. Çaba sarf etmenize gerek yok gibidir. İşte bu esin veren eylemin sizde yarattığı duygudur ve Evren'le ve yaşamla birlikte akmaktır.

Bu iş o kadar keyiflidir ki, bazen elde etmek istediğinizi alana kadar bu "eylem"i kullandığınızın farkına bile varmazsınız. Sonra geriye dönüp baktığınızda, Evren'in sizi dileğinize, dileğinizi size doğru nasıl taşıdığını, bunun nasıl bir mucize, nasıl bir sistem olduğunu görürsünüz.

DR. JOE VITALE

Evren hızı sever. Onu geciktirmeyin. Sorgulamayın. Kuşku duymayın. Zamanı geldiğinde, itici güç oluştuğunda, sezgisel bir tetiklemeyle harekete geçecektir. Bunu oluşturmak size bağlı; ve yapmanız gereken şey de bundan ibaret.

İçgüdülerinize güvenin. Evren size ilham verir ve elde etme frekansında sizinle iletişim kurar. Sezgisel ve içgüdüsel hisleriniz olduğunda, onları izleyin; Evren'in sizi manyetik bir biçimde istemiş olduğunuz şeyi elde etme noktasına doğru götürdüğünü anlayacaksınız.

BOB PROCTOR

İstediğiniz her şeyi kendinize çekeceksiniz. İhtiyaç duyduğunuz şey paraysa, parayı, insanlarsa, insanları , belirli bir kitapsa, o kitabı çekeceksiniz. Dikkat etmeniz gereken şey neye doğru çekildiğinizdir; çünkü siz isteklerinize dair imgeleri zihninizde tuttukça, onlara doğru çekilirken, onlar da size doğru çekilecekler. Hareket, sizinle ve sizin aracılığınızla, tamamen fiziksel bir gerçekliğe doğru olacaktır. Bunu sağlayan da yasadır.

Her şeyi kendinize çeken bir mıknatıs olduğunuzu unutmayın. Zihninizde ne istediğinizi net olarak belirlediğiniz zaman, onları kendinize çeken bir mıknatısa dönüşürsünüz ve istekleriniz de size doğru manyetize olur. Daha çok alıştırma yaptıkça, çekim yasasının size getirdiklerini daha iyi görmeye başlarsınız ve mıknatıs gücünüz artar; çünkü böylece, gücünüze inanç, güven ve bilginin gücünü de katmış olursunuz.

MICHAEL BERNARD BECKWITH

Sıfırdan başlayabilirsiniz, yokluğun ve çözümsüzlüğün içinden bir çözüm yaratılacaktır.

İhtiyaç duyduğunuz tek şey Siz kendiniz ve nesnelerin varolacağını düşünme yeteneğiniz. İnsanlık tarihi boyunca icat edilmiş ve yaratılmış her şey tek bir düşünceyle başlamıştır. O tek düşünceden bir yol oluşturularak, görünmeyen görünür kılınmıştır.

JACK CANFIELD

Gecenin karanlığında ilerleyen bir araba düşünün. Farlar ancak birkaç yüz metre ileriyi göstermesine rağmen, karanlığın içinde Kaliforniya'dan New York'a kadar gitmenizi sağlarlar; çünkü, ilerlemek için sadece iki yüz metre ileriyi görmeniz yeterlidir. Bu hayatın önümüzde nasıl açıldığını anlatıyor. Birbirini izleyen iki yüz metre sırayla önümüzde açılacaklarına güvendiğimiz taktirde, hayat bizim için açılmayı sürdürecek; ve sonunda gerçekten istediğimiz neyse, o hedefe doğru götürecektir, çünkü biz böyle isteriz.

Evren'e güvenin. Güvenin, inanın ve inanç duyun. Aslında, "Sır"ra dair bilgiyi kitaba nasıl aktaracağıma dair fazla bir şey bilmiyordum. Sadece hayalimde gördüğüm sonuca bağlı kaldım, bu sonucu zihnimde net olarak gördüm ve bunu bütün gücümle hissettim, sonrasında ise, "Sır"rı yaratmak için ihtiyaç duyduğumuz her şey bize geldi.

"İnanma yolunda ilk adımı atın. Merdivenin tamamını görmeniz gerekmiyor. Sadece ilk adımı atın."

Dr. Martin Luther King, Jr. (1929–1968)

Bedeniniz ve "Sır"

Gelin, Yaratım Sürecini, kendisini şişman hisseden ya da kilo vermek isteyen insanlar için kullanmayı deneyelim.

Bilinmesi gereken ilk şey, kendinizi kilo vermeye odaklarsanız, daha fazla kilo vermenizi engeller, bunu kendinizden uzaklaştırırsınız, bu yüzden "kilo verme konusunu" kafanızdan uzaklaştırın. Diyet programlarının işe yaramamasının asıl sebebi budur. Kilo vermeye odaklandığınız için, kilo verme konusunu sürekli kendinizden uzaklaştırır durursunuz.

İkinci bilmeniz gereken ise, fazla kilolu olma durumunun da sizin düşünceleriniz aracılığıyla yaratılmış olduğudur. Daha temel terimlerle anlatmak gerekirse, bir insan şişmansa, o bunu fark etse de, etmese de, şişmanlığı "şişmanlığa dair" çok fazla düşünmesinden ileri gelmektedir. "Formda olmayı" düşünen biri, şişman olamaz. Aksi, çekim yasasına karşı çıkmak olur.

Bazı insanlar tiroitlerinin az çalıştığını, ağır bir mekanizmaya sahip olduklarını, ya da vücut biçimlerinin genetik yapılarından geldiğini söyleseler de, bütün bunlar "şişmanlık düşünceleri'ne" sahip olmak için birer kılıftır. Bu bahanelerden herhangi birinin size uygun olduğunu kabul ediyor ve buna inanıyorsanız, bu sizin için bir yaşantıya dönüşmüş demektir, böylece siz fazla kilolu olma durumunu kendinize çekmeye devam edersiniz.

İki kızım var; onları doğurduktan sonra, kilolu kalmıştım. Bunun, doğum yaptıktan sonra kilo vermenin zorluğu, ikinci bebekten sonra ise daha da zorlaştığı konusunda okuyup dinlediğim mesajlardan kaynaklandığını biliyordum. "şişmanlıkla ilgili düşüncelerim" yüzünden kiloları kendime ben çağırmıştım ve yaşantımda bir deneyime dönüşmüşlerdi. Gerçekten "şişmiştim" ve ne kadar çok "şiştiğimi" fark ettikçe, daha çok "şişme" koşulunu kendime çekiyordum. Ufak tefek bir yapım olmasına rağmen, 75 kiloydum. Bunun sebebi ise, "şişmanlık düşüncelerine" sahip olmamdı.

İnsanların kilo konusunda sahip oldukları en yaygın düşünce, ki ben de buna inanıyordum, kilo almanın sorumlularının yiyecekler olduğudur. Bu işinize yaramayan bir inanıştır, hele benim şu anki bakış açıma göre, zırvalamanın dik alasıdır! Yiyecekler alınan kilolardan sorumlu değillerdir. Yiyecekleri kilolardan sorumlu tutan düşüncenizdir, yiyeceklerin kilo almanıza sebep olmalarını sağlayan. Unutmayın, düşünceler herşeyin başlıca nedenleri, geri kalan ise, o düşüncelerin etkileriydi. Aklınızdan mükemmel düşünceler geçirirseniz, sonuç mükemmel bir vücut ağırlığı olacaktır.

Bütün bu sınırlayıcı düşünceleri kafanızdan atın. Siz yapabileceklerini düşünmediğiniz taktirde, yiyecekler kilo almanıza neden olamazlar.

Sizin için mükemmel kilo, sizin kendinizi mükemmel hissettiğiniz kilodur. Sizden başka hiç kimsenin bu konudaki fikrinin önemi yoktur. Size uygun kilo, size kendinizi iyi hissettiren kilodur.

Muhtemelen, at gibi yiyip hala zayıf kalan birilerini tanıyorsunuzdur. Bu insanlar büyük bir gururla; "Ne istersem yiyebiliyorum ve kilom hep aynı mükemmellikte kalıyor" diye ilan ederler; çünkü, Evren'in "Cin"i; "Dileğin benim için emirdir" der.

Sizin için mükemmel kiloyu ve bedeni kendinize çekmek için Yaratım Süreci'nin üç adımını kullanın:

1. Adım: İstemek

Kaç kilo olmak istediğiniz konusunda net olun. Beyninizde, sizin için mükemmel olduğunu düşündüğünüz o kiloya ulaştığınızda, bedeninizin görüntüsüne dair bir imge oluşturun. Mükemmel kilonuzda olduğunuzda çekilmiş resimleriniz varsa, onlara sık sık bakın. Böyle resimleriniz yoksa, sahip olmak istediğiniz gibi bir vücudun resimlerine de bakabilirsiniz.

2. Adım: İnanmak

Mükemmel kiloya ulaşacağınıza inanmalı ve zaten o kiloda olduğunuzu düşünmelisiniz. Bunu imgeleyip, öyleymiş gibi davranmalı, inanıyormuş gibi yapmalısınız. Kendinizi bu mükemmel kiloya dair dileğinizi gerçekleştirirken görmelisiniz.

Sizin için mükemmel olduğunu düşündüğünüz bu kiloyu bir kağıda yazarak, tartınızın üzerine yapıştırmalı, ya da hiç tartılmamalısınız. Düşünceleriniz, sözleriniz ve davranışlarınız, isteğinizle çelişmesin. Aktif kilonuza uygun giysiler satın almayın. İleride satın alacağınız kıyafetler olduğuna inanıp, onlara odaklanın. Mükemmel kiloya ulaşmak, Evren'in kataloğundan bir şey sipariş etmek gibidir. Kataloğa bakın, mükemmel kiloyu seçin, siparişinizi verin ve size teslim edilsin.

Mükemmel vücut ağırlığına sahip olduğunu düşündüğünüz insanları araştırıp, onları takdir etmeyi ve içten içe övmeyi hedefiniz yapın. Onlara dair bilgi edinip, hayranlık duyarak, buna ilişkin duygular beslediğinizde, mükemmel kiloyu kendinize çağırırsınız.

Fazla kilolu insanlar gördüğünüzde onları incelemeyin ve zihninizi hemen, sahip olduğunuz mükemmel vücut görüntünüze kaydırarak bunu hissedin.

3. Adım: Almak

Kendinizi iyi hissetmelisiniz. Kendinizden memnun olmalısınız. Bu önemli çünkü, içinde bulunduğunuz anda sahip olduğunuz bedenden dolayı kendinizi kötü hissederseniz, mükemmel kilonuzu kendinize çekemezsiniz. Bedeninizden dolayı mutsuzsanız, bu etkili bir duygudur ve bedeninizden dolayı mutsuz olmayı çekmeye devam etmenize sebep olur. Bedeninize karşı eleştirel olduğunuz, ve ona kusur bulduğunuz taktirde, daha fazla kiloyu bedeninize çekersiniz. Bedeninizin her santimetrekaresini övün ve kutsayın. Sahip olduğunuz mükemmellikleri düşünün. Kendinize dair kusursuzlukları düşündükçe, kendinizden hoşnut olacak, mükemmel kilonuzun frekansını yakalayacak ve kusursuzluğu çağıracaksınız.

Wallace Wattles, kitaplarından birinde yemek yemeye dair harika bir ipucunu bizimle paylaşıyor ve yemek yerken, bütünüyle yiyeceği çiğneme deneyimine odaklandığımızdan emin olmamızı tavsiye ediyor. Aklınızı yaptığınız işe verin ve besini yeme deneyimini duyumsarken, aklınızın başka şeylere kaymasına izin vermeyin. O an bedeninizin içinde varolun ve besini ağzınızın içinde çiğneyip yutarken duyumsadıklarınızın keyfini çıkarın. Bunu gelecek sefer bir şey yerken deneyin. Yemek yerken, bunu o an tüm varlığınızla yaşadığınızda, yemeğin lezzetini son derece yoğun ve olağanüstü bir biçimde duyumsarsınız, zihninizin başka yöne akmasına izin verdiğinizde ise, yemeğin tadı neredeyse yok olur. Yiyeceklerimizi, yeme deneyiminin keyfine tamamen odaklanmış olarak şimdiki zaman kipinde yiyebilirsek, aldığımız besinin bedenimizin içinde mükemmel bir biçimde sindirileceğine, ve bedenimizin bundan alacağı sonucun kusursuzluk olması gerektiğine ben de inanıyorum.

Benim kendi kilolarıma dair hikaye, 52.7 kilogram olan şu anki kiloma ulaşmamla ve ne yersem yiyeyim aynı kiloda kalmamla sonuçlandı. Bu yüzden, siz de kendi mükemmel kilonuza odaklanmakta gecikmeyin!

Ne Kadar Zaman Alır?

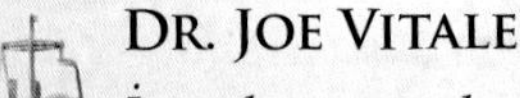

DR. JOE VITALE

İnsanların merak ettiği bir diğer konu da, "Diledikleri arabaya, ilişkiye ya da paraya kavuşmalarının ne kadar süreceği"dir. Elimde bunun otuz dakika, üç gün ya da üç ay süreceğini yazan bir yönetmelik yok. Evrenle aynı doğrultuya gelip işbirliği yapmak daha çok size bağlı.

Zaman bir yanılsamadır. Bize bunu söyleyen kişi de Einstein'dır. Bu cümleyi ilk kez duyuyorsanız, bu kavramı anlamakta biraz zorlanabilirsiniz; çünkü çevrenizde olan biten her şeyin birbiri ardına gerçekleştiğini görürsünüz. Kuantum fizikçileri ve Einstein'ın bize anlatmak istedikleri şey her şeyin eş zamanlı meydana geldiğidir. Zamanın varolmadığını anlayabilir; bu mefhumu kabul ederseniz, gelecek için istediğiniz her şeyin zaten varolduğunu da görürsünüz. Her şey aynı zamanda meydana geliyorsa, sizin istediğiniz şeye sahip paralel bir versiyonunuz da şimdiden vardır!

İstediğiniz şeyi ortaya koymak Evren'in hiç zamanını almaz. Yaşadığınız bekleme süresi, sizin, isteğinize zaten sahip olduğunuza inanmak, bunu bilmek ve hissetmek için kullandığınız süredir. Kendinizi isteğinizle aynı frekansa koyan siz kendinizsiniz. Söz konusu frekansta olduğunuzda, isteğiniz gerçekleşecektir.

BOB DOYLE

Evren'in ölçüsü yoktur. Çok büyük olduğunu düşündüğümüz şeylerden, bölünemeyecek kadar küçük olduğunu düşündüğümüz şeylere kadar, her şeyi bilimsel düzeyde kendimize çekmemiz artık zor değil.

Evren yaptıkları için çaba harcamaz. Çimler büyümek için çaba sarf etmezler, bu müthiş projenin bir parçası olarak kendiliklerinden büyürler.

Her şey zihninizden geçenle ilintili. "Bu büyük bir iş, demek ki zaman alacak" ya da "Bu küçük bir iş. Bir saatimi versem yeter" derken ne kadar süre biçtiğinize bağlı. Bizler tanımlamaları kendi değer yargılarımıza göre yapıyoruz, oysa Evren'in böyle değer yargıları yok. İstediğiniz şey neyse, ona zaten sahipmiş duygusunu verdiğinizde, size yanıt verecektir. Ne isterseniz isteyin.

Evren için zaman ve boyut sıkıntısı yoktur. Bir doları hayata geçirmek ne kadar kolaysa, bir milyon doları ortaya koymak da o kadar kolaydır. Süreç aynıdır. Birinin diğerinden daha yavaş gelme ihtimalinin tek sebebi, sizin, bir milyon doların çok para, bir doların ise bir değerinin olmadığını düşünmenizdir.

BOB DOYLE

Bazı insanlar küçük şeyler üzerinde daha başarılı olabiliyorlar, bu yüzden bazen, bir fincan kahve gibi küçük şeylerden başlanmasını öneriyoruz. Siz de bir fincan kahveyi kendinize çekmeyi bugünkü hedefiniz yapın.

BOB PROCTOR

Beyninizde, uzun zamandır görmediğiniz bir arkadaşınızla konuşmanıza dair bir imge oluşturarak bunu zihninizde tutun. Nasıl olacaksa olacak, ya biri size ondan bahsedecek, ya o arayacak ya da ondan bir mesaj alacaksınız.

Küçük şeylerden başlamak, çekim yasasını bizzat yaşamanızın en kolay yollarından biridir. Bunu uygulayan genç bir adama dair yaşanmış öyküyü burada sizinle paylaşmak istiyorum: Bu genç "Sır"rı izlemiş ve işe küçük bir şeyle başlamaya karar vermişti.

Beyninde bir tüy imgesi yarattı; bu tüyün, bir eşi daha olmayan özel bir tüy olduğundan emindi. Onu gördüğünde, çekim yasasını maksatlı olarak kullanmış olması sebebiyle kendisine geldiğinden emin olmak için, kendi yarattığı bu tüy imgesinin üzerine özel işaretler de koymuştu.

İki gün sonra, New York şehrinde cadde üzerindeki yüksek binalardan birine girmek üzereyken, söylediğine göre, nedenini bilmeksizin yere bakmak ihtiyacını hissetti. Orada, New York şehrindeki yüksek binalardan birinin girişinde, ayaklarının dibinde imgeleminde yarattığı tüy duruyordu! Herhangi bir tüy değildi bu, tam olarak imgelediği tüydü. Kendine özgü bütün işaretleriyle birlikte zihninde yaratmış olduğu tüyün aynısıydı. O an, bunun bütün ihtişamıyla çalışan çekim yasası olduğunu anlamıştı; bundan zerre kadar bile şüphe duymuyordu. Beyin gücüyle herhangi bir şeyi kendisine çekme yeteneğine ve kudretine sahip olduğunu kavramak onu şaşırtmıştı. Şimdi ise, elde ettiği büyük inançla daha büyük şeyler yaratmaya çalışıyor.

DAVID SCHIRMER

YATIRIM UZMANI, ÖĞRETMEN, SERVET YÖNETİMİ UZMANI

İnsanlar bu kadar kolay park yeri bulmama hayret ediyorlar. "Sır"rı ilk kavradığım zamandan beri bunu yapabiliyorum. Tam olarak nereye park etmek istiyorsam orayı gözümde canlandırdıktan sonra, yüzde doksan beş olasılıkla, tam düşündüğüm gibi park yerinin orada beni beklediğini görüyor, tek yapmam gereken şeyi yaparak, doğruca girip park ediyorum. Geri kalan yüzde beşlik zaman diliminde ise, oradan çıkmakta olan arabanın çıkabilmesi için bir iki dakika beklemem gerekiyor. Bunu sürekli yapabiliyorum.

Herhalde şimdi; "Her zaman park yeri bulabiliyorum" diyen birinin bunu nasıl başardığını ya da "şansım gerçekten çok iyidir, sürekli bir şeyler kazanırım" diyenlerin neden sürekli bir şeyler kazandığını anlamışsınızdır. Bu insanlar bu olanları umuyorlar. Büyük beklentiler edinmeye başlayın, bunu yapmaya başlayınca hayatınızı önceden yaratmış olacaksınız.

Gününüzü Önceden Yaratın

Çekim yasasını, tüm hayatınızı önceden oluşturmak için kullanabilir, bunun için bugün yapacağınız ilk işten başlayabilirsiniz. Prentice Mulford, yazılarında çekim yasasına ve onun kullanılışına dair birçok kavramı anlatan bir öğretmen olarak, gününüzü önceden düşünmenizin ne kadar önemli olduğunu örneklerle açıklıyor:

> "Kendi kendinize; 'Bugün güzel bir yere gideceğim ya da güzel bir ziyaret yapacağım' dediğinizde, ziyaretinizi ve yolculuğunuzu güzelleştirecek eleman ve kuvvetleri bedeninizden dışarı doğru göndermiş oluyorsunuz. Yapacağınız bir ziyaretten, yolculuktan ya da alışverişten önce, moraliniz bozuk olduğunda, kaygı duyduğunuzda ya da keyifsizlikler yaşayacağınızdan endişelendiğinizde ise, size tatsızlık yaşatacak birtakım görünmez ajanları ileri doğru göndermiş oluyorsunuz. Düşüncelerimiz ya da başka bir deyişle zihinsel durumumuz olayları önceden iyi ya da kötü diye 'düzenlemek' için daima iş başındadır."
>
> Prentice Mulford

Prentice Mulford bu cümleleri 1870'lerde yazmış. Ne büyük bir öncü! Böylece, her gün, her olayı önceden düşünmenin ne kadar önemli olduğunu açıkça görebiliyorsunuz. Şüphesiz, bunun aksini, gününüzü önceden düşünmediğiniz günlere dair deneyimleri de yaşamışsınızdır. Geri teperek, bunu yaşamanıza sebep olan unsurlardan biri de acele ya da telaş etmektir.

Telaşlandığınız ya da acele ettiğiniz zamanlar, bilin ki, buna dair düşünceleriniz ya da hareketlerinizin temelindeki duygu korkudur (geç kalma korkusu), ve bu duygu sizin, kötü şeyleri, önünüze çıkmaları için "ayarlamanıza" sebep olur. Acele etmeye devam ettikçe, kötü şeyleri birbiri ardına kendinize çekersiniz. Buna ek olarak, çekim yasası da, sizin acele etmenize ve telaşlanmanıza sebep olacak birçok koşulu gelecekte yaşanmak üzere "ayarlayacaktır". Durmalı ve kendinizi bu frekanstan çıkarmalısınız. Kötü şeyleri kendinize çekmek istemiyorsanız, birkaç dakika dinlenip, düşüncelerinizi değiştirmelisiniz.

Bir çok insan, özellikle de Batı toplumlarında, "zamanın" peşinde koşar ve zaman yokluğundan şikayet eder. Aslında, insanlar zaman bulamadıklarını söylediklerinde, bunun sebebi yine çekim yasasıdır. Zamanının sınırlı olduğunu düşünerek kuyruğunu kovalayanlardansanız, şu andan itibaren; vurgulu bir tonlamayla; "Gerekenden fazla zamanım var" demeye başlayarak, hayatınızı değiştirin.

Bir şeyleri beklerken bu zaman dilimini bile gelecekteki hayatınızı yaratmak için etkili bir araç olarak kullanabilirsiniz. Bir dahaki sefere bir şeyleri beklemeniz gerektiğinde, o süreyi tüm isteklerinizi elde ettiğinizi hayal ederek değerlendirin. Bunu her yerde, her zaman yapmanız mümkün. Her türlü yaşam koşulunu olumluya dönüştürün!

Yaşamınızdaki her olayı, düşünceleriniz aracılığıyla önceden belirlemeyi günlük alışkanlığınız haline getirin. Yaptığınız her şeyde, gittiğiniz her yerde, olayları yaşamak istediğiniz biçimiyle önceden düşünerek Evren'e dair güçleri arkanıza alın. O zaman, hayatınızı kendi istekleriniz doğrultusunda yaratmış olursunuz.

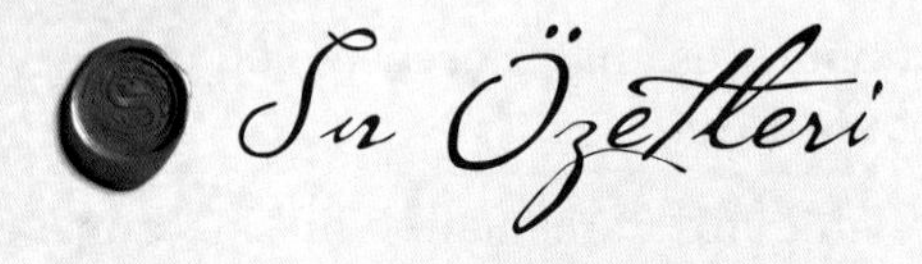

- *Tıpkı Alaaddin'in cini gibi, çekim yasası da tüm komutlarımızı yerine getirir.*

- *Yaratım Süreci'nin, istediğiniz her şeyi yaratmanıza yardımcı olmak için üç basit adıma ayrılmıştır: iste, inan ve al.*

- *Yaşamayı arzu ettiklerinizi Evren'den isteme süreci, ne istediğinizi netleştirmeniz konusunda bir fırsattır. Zihninizin içinde net olduğunuz zaman ise, zaten istemiş olursunuz.*

- *İnanmak; istemiş olduğunuz şeyi şimdiden elde etmiş olduğunuzu düşünerek, öyleymiş gibi konuşup, öyleymiş gibi davranmayı da gerektirir. İsteklerinizi elde etmiş gibi frekans yaydığınızda, çekim yasası insanları, olayları ve koşulları harekete geçirerek arzunuza kavuşmanızı sağlayacaktır.*

- *Elde etmek aşaması ise, dileğiniz gerçekleştiğinde hissedeceklerinizi hissetmeyi gerektirir. Şu an kendinizi iyi hissetmeniz, sizi dileğinizle aynı frekansa getirir.*

- *Kilo vermek için, "kilo vermeye" odaklanmak yerine, size göre mükemmel kilonuz neyse ona odaklanın. Kendinizi mükemmel kilonuzdaymışsınız gibi hissettiğinizde, bu kusursuz kiloyu kendinize çağıracaksınız.*

- *İsteklerinizi gerçekleştirmek Evren'in hiç zamanını almaz. Evren, bir milyon doları da, bir doları da aynı kolaylıkla hayata geçirir.*

- *Bir fincan kahve ya da boş park yeri bulmak gibi küçük şeylerle başlamak, çekim yasasının işleyişini görmenin en kolay yollarından biridir. Küçük bir şeyi kendinize çekmek için etkili bir çalışma yapın. Kendinize çekme konusunda sahip olduğunuz güce dair deneyim edindikten sonra, daha büyük şeyler yaratma konusuna geçersiniz.*

- *Gününüzü, o gün yaşamak istediklerinize dair önceden düşünerek tasarlayın, böylece hayatınızı da istekleriniz doğrultusunda tasarlamış olacaksınız.*

nucleus
Proton
meters

Etkili Süreçler

DR. JOE VITALE

Mevcut koşullarından dolayı kendilerini sıkışmış, sınırlandırılmış, hapsedilmiş hisseden birçok insan vardır. Şu anki koşullarınız ne olursa olsun, onlar yalnızca şimdiki gerçekliğiniz ve bu gerçekleriniz "Sır"rı kullanmaya başlamanız sebebiyle değişmeye başlayacak.

Şimdiki gerçekliğiniz ya da şu an yaşamakta olduğunuz hayat, daha önce düşünmüş olduklarınızın sonucu olarak var. Siz duygu ve düşüncelerinizi değiştirmeye başladığınız taktirde, yaşadığınız hayat da tamamıyla değişecek.

> "Bir insanın kendisini değiştirebilmesi, ...ve kaderini yenmesi, doğru düşünmenin etkisini kavramış her beynin ulaşabileceği bir sonuçtur."
>
> Christian D. Larson (1866–1954)

LISA NICHOLS

Koşullarınızı değiştirmek istiyorsanız, önce düşünme biçiminizi değiştirmelisiniz. Posta kutusuna içinde fatura görme beklentisiyle her bakışınızda, bilin bakalım ne olur? Fatura orada olur. Böylece her gün fatura korkusuyla dışarı çıkarsınız! Artık posta kutusunda daha güzel şeyler bulma beklentisi içine girmezsiniz. Devamlı borçları düşünür, ödemelerin gelmesini beklersiniz ve bu yüzden borçlar gelmek zorundadır, yoksa çıldırdığınızı düşünürsünüz. Her gün kendi kendinize: "Bu gün de fatura gelecek mi?" diye sorarak, bu düşünceyi onaylarsınız. Evet, fatura gelir. Fatura gelecek mi? Evet gelecek. Fatura gelecek mi? Evet gelecek. Neden? Çünkü, fatura beklentisi içine girdiniz. Böylece, daima düşüncelerinize itaat eden çekim yasası onu size getirdi. Kendinize bir iyilik yapın ve postadan bir çek almayı umun!

Beklenti etkili bir çekici güçtür, çünkü nesneleri ve olayları size doğru çeker. Bob Proctor'un da söylediği gibi; "Arzu etmek, sizi arzuladığınız nesneyle birleştirir, ummak ise onu hayatınıza doğru çeker." isteklerinizin gerçekleşmesini umarken istemediğiniz şeylerin olmasını beklemeyin. Şimdi ne umuyorsunuz?

JAMES RAY

Birçok insan yaşamakta olduğu hadiselere bakar ve, "işte ben buyum" der. Siz bu değilsiniz. Siz buydunuz. Diyelim ki, bankada yeterince paranız yok ya da istediğiniz gibi bir ilişkiniz yok, ya da sağlığınız ve formunuz iyiye gitmiyor; bunlar sizin hakettikleriniz değil, geçmişteki düşünce ve davranışlarınızın bugüne sarkan sonuçları. Geçmişte edindiğimiz düşünceleri ve davranışları değiştirmezseniz, sürekli bu artık sonuçlar içinde yaşarsınız. Şimdiki durumunuza bakarak, kendinizi bununla tanımlarsanız, kendinizi gelecekte de bundan farklı bir şey elde etmemeye mahkum edersiniz.

"Olduğumuz her şey, düşünmüş olduklarımızın sonucudur."

Buddha (MÖ 563 – 483)

Büyük öğretmen Neville Goddard'ın, 1954 yılında vermiş olduğu "Düzeltmenin Budama Makası" (The Pruning Shears of Revision) başlıklı konferansına dair bir süreci sizinle paylaşmak istiyorum. Bu oluşum benim hayatımı derinden etkilemişti. Neville, her günün sonunda, uykuya dalmadan önce, o gün yaşadıklarınızı düşünmeyi önerir ve istediğiniz gibi gitmeyen bir olay ya da an olduysa, bunu da zihninizin içinde sizi mutlu edecek biçimde gelişmiş gibi yeniden düşünmenizi söyler. Bu olayları beyninizde tam istediğiniz gibi yeniden yarattığınızda, o günün frekansını temizleyerek, ertesi gün için yeni bir frekans yaymaya başlarsınız. Böylece, geleceğiniz için kendi isteğiniz doğrultusunda yeni görüntüler oluşturmuş olursunuz. Resimleri değiştirmek için asla çok geç değildir.

Minnettarlığın Güçlü Etkisi

DR. JOE VITALE

Hayatınızı değiştirmeye başlamak için şu an yapabileceğiniz bir şey var mı? Yapabileceğiniz ilk şey, sahip olduğunuz için şükrettiklerinizin listesini yapmak. Bunu yapmak, enerjinizi ve dolayısıyla düşüncelerinizi değiştirerek, düşüncelerinizi değiştirmeye başlayacak. Bu egzersizi uygulamadan önce, sahip olmadıklarınıza, yakınmalarınıza ve sorunlarınıza odaklanmış olabilirsiniz, ama egzersizden sonra, farklı bir yöne gideceksiniz. Sizi mutlu eden her şey için şükretmeye başlayacaksınız.

"Minnettarlık duygusunun, beyninizin Evren'in yaratıcı enerjisiyle uyum sağladığı düşüncesi sizin için yeniyse, onu iyi kavrayın; doğru olduğunu göreceksiniz."

Wallace Wattles (1860–1911)

MARCI SHIMOFF

Şükretmek, yaşamınıza daha çok şey katmanın mutlak yollarından biridir

Dr. John Gray

Psikolog, Yazar ve Uluslararası Konuşmacı

Yapmış olduğu küçük işler için eşi tarafından taktir edildiğini bilen bir koca ne yapmak ister? Daha fazlasını yapmak ister. Takdir edilmek her zaman aynı etkiyi verir; bir şeyleri harekete geçirir; ve daha çok onayı kendisine çeker.

Dr. John Demartini

Üzerinde düşündüğümüz ve şükrettiğimiz her şeyi hayata geçiririz.

James Ray

Şükretmek benim için son derece etkili bir alıştırma oldu. Sabahları uyandığımda; "Teşekkür ederim" diyorum. Her sabah, ayaklarım zemine değdiğinde buna şükrediyorum. Sonra, dişlerimi fırçalayıp yeni güne hazırlanırken şükrettiğim şeyler sayesinde koşturmaya başlıyorum. Rutin işlerimi yaparken, bir yandan da minnettarlığımı duyumsuyorum.

James Ray'i bu etkili minnettarlık alıştırmasını bizimle paylaşırken filme aldığımız gün, yaşamım boyunca asla unutmayacağım günlerden biri oldu. O günden sonra, James'in anlattığı süreci hayatımın bir parçası yaptım. Her sabah, yaşayacağım bu yepyeni gün ve sahip olduğum için şükrettiğim her şey için ne kadar minnettar olduğumu duyumsamadan yatağımdan kalkmamayı alışkanlık haline getirdim. Sonra, yataktan kalkarken, yere değen ilk ayağımla birlikte "teşekkür", ikincisiyle de "ederim" diyorum.

Banyoya giderken attığım her adımda teşekkür ediyorum. Duş alıp giyinirken de teşekkür edip, bunu hissetmeyi sürdürüyorum. Güne başlamaya hazır olduğumda, yüzlerce kez "teşekkür etmiş" oluyorum.

Böyle yapmakla, günümü, içerdiği her şeyle birlikte yaratmış oluyorum. Yaşayacağım gün için frekansımı ayarlıyor, yataktan kalkıp sendeleye sendeleye yürüyerek günün beni kontrol etmesine izin vermektense, günümün nasıl geçmesini istediğimi bilinçli bir şekilde ilan ediyorum. Güne başlamak için bundan daha etkili bir yol yoktur. Hayatınızı oluşturan siz kendinizsiniz, bu yüzden işe, gününüzü oluşturarak başlayabilirsiniz!

Şükretmek, tarihte rastlanan bütün büyük avatarların öğretilerinin temel unsuru olmuştur. Wallace Wattles tarafından 1910 yılında yazılan ve hayatımı değiştiren kitap olan "Science of Getting Rich" (Zengin Olmanın ilmi)nin içindeki en uzun bölüm de minnettarlığa ayrılmıştı. Ayrıca, "Sır" da yer alan öğretmenlerin tamamı da şükretmeyi günlerinin bir parçası olarak görüyor; birçoğu güne şükran duyguları ve düşünceleriyle başlıyor.

Olağanüstü bir insan ve başarılı bir girişimci olan Joe Sugarman, "Sır" kitabını okuduktan sonra bana ulaştı ve en beğendiği bölümün şükretme uygulamalarıyla ilgili bölüm olduğunu, hayatında başardığı her şeyi şükretmek sayesinde kazandığını söyledi. Joe kendine çektiği bütün bu başarıyla beraber, şükretme uygulamalarına her gün devam ediyor, en ufak şeyler için bile teşekkür ediyor. Park yeri bulduğunda da, mutlaka teşekkür ederek, minnettarlık hissini duyumsuyor. Joe, şükretmenin gücünü ve kendisine ne kadar çok şey kazandırdığını biliyor; bu yüzden teşekkür etmek onun yaşam biçimi olmuş.

Okuduğum her metinde ve "Sır"rı kullanarak yaşadığım bütün deneyimlerde gördüm ki, şükretmenin etkisi diğer bütün etkileri geçiyor. "Sır"dan öğrendikleriniz içinde yalnızca birini uygulayacaksanız, şükretmeyi kullanın ve onu yaşam biçiminiz yapın.

DR. JOE VITALE

Sahip olduklarınıza dair farklı duygular hissetmeye başladığınızda, daha fazla iyiliği kendinize çekmeye başlayacaksınız. Şükredecek daha çok şeyiniz olacak. Çevrenize bakıp ; "istediğim gibi bir arabam yok. istediğim gibi bir evim yok. istediğim gibi bir eşim yok. istediğim kadar sağlıklı değilim" diyebilirsiniz. Aman! Geriye sarın, geriye sarın! Bunlar sizin istemediğiniz şeyler. Odaklanmanız gereken şeyler, sahip olduğunuz için şükrettikleriniz. Örneğin; bunları okumak için gözleriniz olduğuna şükredebilirsiniz. Sahip olduğunuz giysiler için de teşekkür edebilirsiniz; evet belki daha güzellerini tercih ederdiniz ama, sahip olduklarınız için şükretmeye başlarsanız dilediğiniz gibilerini çok yakında almanız da mümkün.

"Diğer yöntemleri kullanarak hayatlarını doğru biçimde düzenleyen bir çok insan, şükretmeyi bilmedikleri için yoksul kaldı."

Wallace Wattles

Sahip olduklarınıza karşı nankörlük ederseniz, daha fazlasını yaşamınıza getirmeniz imkansızlaşır. Neden? Çünkü, nankörlük ettiğinizde, yaydığınız duygu ve düşüncelerin tamamı olumsuzdur. Kıskançlık, alınganlık, doyumsuzluk, "açgözlülük" de, size istediğinizi getiremeyecek duygulardandır.

Bunlarla ancak istemediğiniz şeyleri arttırabilirsiniz. Bu olumsuz hisler, size gelmekte olan iyilikleri engellerler. Yeni bir araba istemekle birlikte, sahip olduğunuz araba için şükretmiyorsanız, gönderdiğiniz baskın frekans hoşnutsuzluk olacaktır.

Şu an sahip olduğunuz her şeye şükredin. Hayatınızdaki şükredilecek her şeyi tek tek düşünmeye başladığınızda, düşüncelerinizden size geri gelen bitmez tükenmez bir teşekkür edilecek şeyler listesi oluştuğunu görüp şaşıracaksınız. Yapmanız gereken tek şey şükretmeye başlamak, sonrasında çekim yasası bu minnet duygu ve düşüncelerinizi alarak, onları çoğaltıp benzerlerini size geri yollayacak, şükretmenin frekansına takılı kalacaksınız ve bütün iyi şeylere kavuşacaksınız.

> "Şükretme konusunda her gün alıştırma yapmak,
> bolluk ve bereketi çekmek için en önemli iletişim
> hatlarından birini oluşturmak demektir."
>
> Wallace Wattles

LEE BROWER

SERVET YÖNETİMİ EĞİTİMCİSİ VE UZMANI, YAZAR VE ÖĞRETMEN

Her insanın, "işlerin yolunda gitmediği; ya da kötü gittiği" dönemlerinin olduğunu düşünüyorum. Bir defasında aileme dair yolunda gitmeyen bir şeyler yaşandığında, yerde bir taş buldum ve eğilip aldım. Taşı cebime koyarak; kendi kendime "bu taşa her dokunduğumda, varlığına şükrettiğim herhangi bir şeyi düşüneceğim" diyerek söz verdim. Sonra, her sabah uyanır uyanmaz taşı çekmeceden çıkararak, cebime koydum ve şükrettiğim şeyleri gözden geçirdim. Bilin bakalım gece yatarken ne yapıyordum? Ceplerimi boşaltıyordum ve taş yine oradaydı.

Bu fikrim sayesinde birçok şaşırtıcı deneyim yaşadım. Taşı yere düşürdüğümü gören Güney Afrikalı bir arkadaşım; "ne taşı bu? diye sordu. Durumu ona açıkladım, o da taşa "Şükran taşı" adını verdi. iki hafta sonra bana Güney Afrika'dan bir e-posta gönderdi. iletisinde; "Oğlum pek sık rastlanmayan bir hastalıktan ölüyor. Hastalık bir tür hepatitmiş. Bana üç tane şükran taşı gönderir misin?" yazmıştı. Bahsettiği taşlar yoldan bulduğum sıradan taşlardı. "Elbette" diye cevap verdim ve ona göndereceğim taşların çok özel olmalarını istediğim için yakınlardaki dereye giderek uygun taşları seçip ona gönderdim.

Dört, beş ay sonra arkadaşımdan bir e-posta daha aldım. Şöyle yazmıştı; "Oğlum artık daha iyi. Müthiş bir hızla iyileşiyor. Bilmen gereken bir şey daha var; tanesi on dolardan binden fazla şükran taşı sattık ve tüm parayı hayır kurumlarına dağıttık. Çok teşekkür ederiz."

Gerçekten de, insanın bir "şükretme davranışı" geliştirmesi son derece önemli.

Büyük bilim adamı Albert Einstein, zamana, alana ve yerçekimine dair görüşlerimiz üzerinde devrim yaptı. Yetersiz bilimsel altyapısı ve başlangıçlarına bakarak, bu yaptıklarını başarmasının imkansız olduğunu düşünmüş olabilirsiniz; fakat, Einstein "Sır" ra ilişkin çok şey biliyordu ve bir gün içinde yüzlerce kez "teşekkür ederim" diyordu.

Öğrenmesini sağlayıp, çalışmalarını daha ileri götürmesine sebep olarak, gelmiş geçmiş en büyük bilim adamlarından biri haline gelmesine katkıda bulundukları için kendisine öncülük eden bütün büyük bilim adamlarına teşekkür ediyordu.

Şükretmenin en önemli yararlarından biri de, istediğinize ekstra güçle ulaşmanızı sağlamak için Yaratım Süreci'yle birleştirilebilmesidir. Bob Proctor da, Yaratım Süreci'nin ilk adımı olan "isteme" bölümünde, isteklerinizi yazarken; her cümleye "Şu an ...... sahip olduğum için çok mutlu ve minnettarım" (boşluğu kendiniz dolduracaksınız) diye başlamanızı önermişti.

Arzunuza şimdiden kavuşmuş gibi, şükrettiğinizde, Evren'e çok güçlü sinyaller yollarsınız. Bu sinyaller, şükrettiğinize göre, dileğinize kavuşmuş olduğunuzu ifade ederler. Sabahları yatağınızdan kalkmadan önce, yaşayacağınız güzel gün için, sanki o günü mükemmel yaşamışsınız gibi önceden şükretmeyi alışkanlık haline getirin.

"Sır"rı keşfettiğim ve onu kitap haline getirerek tüm dünyayla paylaşma vizyonunu oluşturduğum günden beri, "dünyaya mutluluk" getirecek bu kitap için her gün şükrediyorum. Bu bilgiyi ekrana nasıl taşıyacağımıza dair bir fikrim olmasa da, bunu bir şekilde kendimize çekeceğimize güveniyordum. Buna odaklanmaya devam ederek sonuca ulaştım. Önceden hissettiğim derin şükran duygusu, varoluşumun bir parçası haline geldiğinde, baraj kapakları açıldı ve sihir hayatlarımızın içine doldu. "Sır" ekibini oluşturan olağanüstü insanlar ve ben, bugün hala aynı içtenlikle şükretmeye devam ediyoruz. Ekip olarak biz, minnettarlık duygularımızı sürekli yansıtarak, bunu yaşam biçimimiz yaptık.

Visualization'ın (Zihinde Canlandırma) Güçlü Etkisi

Visualization (zihinde canlandırma) süreci, günümüzde yaşayan öğretmenler tarafından öğretildiği gibi, asırlardır gelmiş geçmiş tüm öğretmenler ve avatarlar tarafından da öğretilmiştir. Charles Haanel 1912'de yazmış olduğu "The Master Key System" (Maymuncuk Sistemi) adlı kitabında visualization konusunda ustalaşmak için her hafta uygulanmak üzere yirmi dört egzersiz veriyor. (Daha da önemlisi, verdiği Maymuncuk Sistemi'ni bir bütün olarak incelediğinizde, düşüncelerinizin efendisi olmanıza yardımcı olacağını görecek olmanızdır.)

"Visualization"ın (zihinde canlandırma) bu kadar etkili olmasının sebebi, zihninizde, kendinizi dileğinize kavuşmuş olarak canlandırdığınızda, onu elde ettiğinize dair duygu ve düşünceler üretmenizdir. Visualization (zihinde canlandırma) düşünceleri imgelere odaklamaktan ibaret basit bir işlem olmakla birlikte, gerçeğiyle aynı derecede güçlü duygular yaratır. Bir şeyi zihninizde canlandırdığınızda, siz söz konusu güçlü frekansı Evren'e yayarken; çekim yasası bu güçlü sinyalleri alarak, yarattığınız görüntüleri aynen zihninizin içinde görmüş olduğunuz biçimiyle size geri gönderir.

DR. DENIS WAITLEY

Visualization (zihinde canlandırma) oluşumunu Apollo programından aldım ve 1980 ve 90'lardaki Olimpiyat programında uyguladım. O dönemlerdeki adı; "Visual Motor Rehearsal" (Görsel Hareket Provası)ydı.

Bir şeyi zihninizde canlandırmanız, onu gerçekleştirebileceğiniz anlamına gelir. işte size zihne dair ilginç bir hikaye: Olimpik atletleri karşımıza aldık, onlardan koşmaları gereken mesafeyi zihinlerinin içinde koşmalarını istedik ve onları gelişmiş geribildirim (biofeedback) cihazlarına bağladık. Beyinlerinin içindeki yarışta yaptıkları koşu ile yarış pistinde yaptıkları koşuda incelenen kasların aynı sıralamayla tepki vermesi bizi hayrete düşüren bir sonuç oldu. Peki bunun sebebi neydi? Bunun sebebi, beynin yaptığınız şeyin gerçek mi, yoksa gerçeğin bir provası mı olduğunu ayırt edememesidir.

Beyninizin içinde var ettiğinizi, bedeninizin içinde de var edersiniz.

Mucitleri ve icatlarını düşünün: Wright Kardeşler ve uçak. George Easman ve film. Thomas Edison ve ampul. Alexander Graham Bell ve telefon. Bir şeyin icat edilip yaratılmış olmasının tek yolu, ona dair imgenin bir kişinin zihninde canlandırılmış olmasıdır. Mucit, söz konusu imgeyi açık ve net olarak görüp, sonuç görüntüyü buluşunu elde edene kadar zihninde tutuşundan, Evren tüm güçlerini kullanarak bu icadı mucidi aracılığıyla dünyaya sunar.

Yukarıda adları sıralanan bu insanlar "Sır"ra vakıflardı. Onlar, görünmeyene dair sarsılmaz bir inanç besliyor, içlerindeki gücün Evren'i harekete geçirerek buluşlarını görünür kılacağını biliyorlardı. Bizlerse, inançları ve düş güçleriyle, insanoğlunun gelişmesine katkıda bulunan bu insanların yaratıcı beyinlerinin bize sağladıklarından her gün fazlasıyla faydalanıyoruz.

Belki de şimdi; "Bu büyük mucitlerinkine benzer bir beynim yok ki" diye düşünüyor; "Onlar bunları imgeleyebilmiş olabilirler ama, ben yapamam" diyorsunuz. Gerçeklerden bu kadar uzaklaşmayın ve "Sır"ra dair bu büyük keşifle yolunuza devam edin, o zaman, sizin beyninizin de o insanlarınki gibi hatta daha bile gelişkin olduğunu göreceksiniz.

MIKE DOOLEY

Bir imgeyi zihninizde canlandırırken (visualizing), o imgeye dair görüntüye ulaştığınızda, daima ve mutlaka elde etmek istediğiniz sonucu temel alın.

Şimdi bir örnek verelim: Hemen ellerinizin üzerine bakın. Gerçekten, ellerinizin üzerini dikkatle inceleyin: Teninizin rengine, lekelere, damarlarınıza, varsa yüzüklere, tırnaklarınıza ve tüm detaylara dikkatle bakın. Şimdi, gözlerinizi kapamadan hemen önce, bu elleri, parmaklarınızı size ait gıcır gıcır bir arabanın direksiyonunu kavrarken görün.

DR. JOE VITALE

Bu o kadar üç boyutlu bir deneyim ki- şu an öyle gerçekçi ki- insan kendisini yeni bir araba almış gibi hissettiğinden, buna ihtiyaç duyduğunu bile unutuyor.

Dr.Vitale'nin sözleri, isteklerinizi zihninizde canlandırırken (visualizing), kendinizi getirmek istediğiniz yere getirebileceğinizi harika bir biçimde özetliyor. Gözlerinizi yeniden fiziksel dünyaya açtığınızda, hissettiklerinizden dolayı sarsılırsanız, canlandırmanız gerçekleşmiş demektir; ama yine de gerçek olan, o durum, o düzlemdir. Her şey o alanda yaratılır, fiziki olan ise, yaratımın gerçek etkinlik alanından gelen bir sonuçtan ibarettir. Artık o arabaya ihtiyaç duymuyormuş gibi hissedilmesinin nedeni budur; çünkü yapılan canlandırma aracılığıyla gerçek yaratım alanına girilmiş ve bu hissedilmiştir. Siz de hissettiğiniz zaman anlayacaksınız ki, Şu an o alanda bulunan her şeye sahipsiniz.

JACK CANFIELD

Çekimi asıl yaratan, sadece görüntü veya düşünce değil, bunları hissetmektir. Birçok insan; " Olumlu şeyler düşünmem ya da istediğimi aldığımı zihnimde canlandırmam yeterli" diye düşünüyor; ama, böyle yaparken, bolluk ve bereketi, sevgi ve sevinci hissetmezseniz, çekim kuvvetini oluşturamazsınız.

BOB DOYLE

Kendinizi şu an gerçekten o arabanın içinde olduğunuzu hissetme noktasına getirmelisiniz. Hissedilmesi gereken şey; "O arabaya sahip olmak isterdim" ya da "Bir gün öyle bir arabam olacak" duygusu değil, çünkü bu, arabaya ilişkin çok kesin bir his ve şu anı değil geleceği belirtiyor. O duyguda kalırsanız, ulaşmak istediğiniz şey daima gelecek zamanda kalacaktır.

MICHAEL BERNARD BECKWITH

Bu duygu ve bu içsel bakış açısı, Evren'in gücünü göstermeye başlaması için araç, bir açık kapı olacaktır.

"Bu gücün ne olduğu konusunda bir şey söyleyemem. Bildiğim tek şey varolduğu."

Alexander Graham Bell (1847–1922)

JACK CANFIELD

Yapmamız gereken nasıl gerçekleştiğini anlamaya çalışmak değil. Olan bitene inanıp bağlanmamızın sonucunda, nasıl olduğu da ortaya çıkacaktır.

MIKE DOOLEY

"Nasıllar" Evren'i ilgilendirir. Siz ve düşünüz arasındaki en kısa, en çabuk, en hızlı ve uyumlu yolu her zaman o bilir.

DR. JOE VITALE

Kontrolü Evren'e bıraktığınız taktirde, size verilenlere şaşıracaksınız, gözleriniz kamaşacak. Bu nokta, sihir ve mucizelerin gerçekleştiği noktadır.

"Sır"rın öğretmenlerinin tamamı, (visualization) zihninizde canlandırma yaparken, oyuna dahil ettiğiniz tüm unsurları biliyor. Söz konusu imgeyi zihninizin içinde görerek, onu hissettiğinizde kendinizi, ona şu an sahip olduğunuza inanma noktasına getiriyorsunuz. Ayrıca, nihai sonuca odaklanıp, o duyguyu yaşayarak, bunun "nasıl" gerçekleşeceğiyle ilgilenmediğiniz için de, Evren'e inandığınızı ve güvendiğinizi gösteriyorsunuz. Zihninizin içindeki imgede, dileğinizin gerçekleştiğini görüyor, duygularınızla da bunu böyle hissediyorsunuz. Beyniniz ve tüm varlığınızla dileğinizi şimdiden gerçekleşmiş kabul ediyorsunuz. Bu, zihinde canlandırma sanatıdır. (visualization)

DR. JOE VITALE

Bunu neredeyse her gün yapmanız gerekmekle birlikte, asla angaryaya dönüşmemelidir. "Sır"rın bütünü için en önemli şey, iyi hissetmektir. Tüm süreç boyunca keyifli, olabildiğince coşkulu, mutlu ve uyumlu olmalısınız.

Her insan zihinde canlandırma (visualization) yetisine sahiptir. izin verin bunu size, bir mutfak imgesiyle ispatlayayım: Başlamak için, öncelikle kendi mutfağınıza dair bütün düşünceleri kafanızdan silmeniz gerekiyor. Kendi mutfağınızı düşünmeyin. Zihninizde bulunan kendi mutfağınıza dair tüm imgeleri, bardak dolaplarını, buzdolabını, fırını, seramikleri ... silin.

Mutfağınızın bir resmini zihninizde gördünüz değil mi? işte zihninizde canlandırmış oldunuz!

> "Bunu bilsin, bilmesin herkes bir şeyleri
> zihninde canlandırabilir. Başarılı olmanın büyük
> sırrı, zihinde canlandırmadır(visualization)".
>
> Genevieve Behrend (1881–1960)

Burada, Dr.John Demartini'nin "Atılım Deneyimi" ("Breakthrough Experience") seminerlerinde zihinde canlandırmaya (visualization) verdiği bir ipucunu sizinle paylaşmak istiyorum. John, zihnimizde yaratacağımız statik bir görüntüyü akılda tutmanın zor olduğunu söylemiş, yarattığımız tablonun içine hareket katmamızı önermişti.

Bunu bir örnekle daha iyi anlamak için, şimdi mutfağınızı yeniden imgeleyin ve bu kez kendinizi mutfağa girerken, buzdolabına doğru yürüyüp elinizi dolabın kulpuna koyarken, kapağını açıp içine bakarken, içeride bir şişe su görürken hayal edin. Uzanıp şişeyi tutun. Sanki şişeyi gerçekten tutmuş gibi camın soğukluğunu elinizde hissedebilirsiniz. Bir elinizde şişeyi tutarken diğeriyle de kapağı kapatın. Şimdi mutfağınızı detaylı ve hareketli bir biçimde zihninizde canlandırmış oldunuz. Resmi görmek ve akılda tutmak daha kolay oldu, değil mi?

"Hepimizin sandığımızdan daha çok gücü ve daha fazla olanağı var; zihinde canlandırma (visualization) ise bu güçlerin en etkililerinden biri."

Genevieve Behrend

Uygulamanın Güçlü Etkileri

MARCI SHIMOFF

Bu şekilde yaşayarak, hayatın büyüsünden faydalanan insanlarla, bunu yapmayanlar arasındaki tek fark, hayatın büyüsünü yaşayanların varoluşa dair kurallara alışmış olduklarıdır. Bu insanlar, çekim yasasını kullanmayı alışkanlık haline getirmiş olduklarından, gittikleri her yere götürdükleri sihir onları bulur; çünkü onu kullanmayı hiç unutmazlar; çekim yasası onlar için sadece bir olaylık olmayıp, daima başvurdukları bir yöntemdir.

Aşağıda, çekim yasasının etkisini ve Evren'in uygulamalarına dair kusursuz sistemi örneklerle anlatan iki yaşanmış öykü verilmektedir:

İlk öykü, "Sır" kitabını satın aldıktan sonra günde az bir kaç sayfa okuyan ve dolayısıyla verilen mesajı bedeninin tüm hücrelerine kadar içine çeken Jeannie adında bir kadının hikayesi. Jeannie özellikle Bob Proctor'dan etkilenmiş ve onunla tanışmanın müthiş bir şey olacağını düşünmeye başlamıştı.

Bir sabah, Jeannie mektuplarını alırken, postacının yanlışlıkla

Bob Proctor'a ait bir mektubu kendi posta kutusuna bırakmış olduğunu gördü ve hayretler içinde kaldı. Bob Proctor'ın kendi evinden yalnızca dört blok ötede oturduğu Jeannie'nin bildiği bir konu değildi! Üstelik bir de, Jeannie'nin kapı numarası ile Bob Proctor'ınki aynıydı. Jeannie derhal mektubu aldı ve doğru adrese götürdü. Kapı açılıp karşısında duran Bob Proctor'ı gördüğünde Jeannie'nin yaşadığı o katıksız hazzı düşünebiliyor musunuz?

Bob ders vermek için dünyanın her yerine giden, bu yüzden de nadiren evde bulunan bir insan olmakla birlikte, Evren'in sistemi mükemmel zamanlamayı gayet iyi bilir. Jeannie'nin Bob Proctor'la tanışmanın ne kadar muhteşem bir şey olacağını düşünmesiyle birlikte, çekim yasası Evren'deki tüm insanları, koşulları ve olayları harekete geçirmiş ve bu karşılaşma gerçekleşmişti.

ikinci öykü, "Sır"rı izleyip, ondan etkilenen on yaşında bir erkek çocuğun, Colin'in başından geçiyor. Colin ailesiyle birlikte bir haftalığına Disney World'e gitmişti. Parktaki ilk günlerinde uzun kuyruklarda beklemek zorunda kalmışlardı. O gece, Colin uykuya dalmadan hemen önce "yarın bütün büyük oyuncaklara binmek ve hiç sıra beklememek istiyorum" diye düşündü.

Ertesi sabah Colin ve ailesi, park açıldığında Epcot Center'ın giriş kapısında dururken, bir Disney görevlisi yanlarına gelerek, "Günün ilk Epcot Ailesi" olmak isteyip istemediklerini sordu. Günün ilk ailesi olarak VIP statüsü kazanmış, kendilerine refakat eden bir Disney görevlisiyle gezerek, Epcot'taki tüm büyük oyuncaklara kuyruk beklemeden binebilmişlerdi. Bu Colin'in dilediğinden de fazlaydı!

O sabah yüzlerce aile Epcot'a girmek için bekliyordu ama, Colin'in kendi ailesinin ilk Aile seçilmesinin nedeni konusunda en ufak bir tereddütü bile yok; çünkü o, bunun "Sır"rı kullandığı için gerçekleştiğini biliyor. On yaşındayken, dünyayı harekete geçirme gücünün kendi içinizde olduğunu Keşfetmenin nasıl bir şey olduğunu bir düşünün!

> "Yarattığınız tablonun somutlaşmasını onu doğuran güç olan sizden başka hiçbir güç, engelleyemez."
>
> Genevieve Behrend

James Ray

Bu düşünceye inanan insanlar, bunu bir süre uyguladıktan sonra, gerçek anlamda destek vermeye başlıyorlar. "Bu programı gördüm ve çok etkilendim. Hayatımı değiştirmeye karar verdim" diyorlar. Sonuçlar henüz kendini göstermeyip, yüzeyin hemen altında, atılım yapmak üzere beklediğinde ise, yüzeye bakan bu insanlar; "bu safsata işe yaramıyor" diyorlar. Neden biliyor musunuz? Çünkü Evren; "Dileğin benim için emirdir" diyerek ortadan kayboluyor.

Şüphe düşüncesinin beyninize girmesine izin verdiğinizde, çekim yasası bir kuruntuyu diğerinin ardından size göndermekte gecikmeyecektir. Aklınıza sizi şüpheye düşürecek bir düşünce geldiğinde, onu o an derhal terk ederek geldiği yere geri gönderin. Onun yerine düşüneceğiniz şey ise "istediğimi şu an elde etmekte olduğumu biliyorum"düşüncesi olsun. Bunu hissedin.

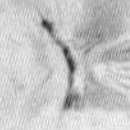

JOHN ASSARAF

Çekim yasasını bilen biri olarak, onu kullanmak ve neler olacağını görmek istedim. 1995 yılında, Düş Panosu (Vision Board) adını verdiğim bir pano hazırladım. Panonun üzerine, güzel bir araba, bir saat ya da düşlerimdeki ruh eşim gibi başarmak, veya kendime çekmek istediğim şeylerin resmini asıyordum. Her gün ofisimde oturup bu panoya bakıyor,oraya astıklarımı zihnimde canlandırıyordum (Visualization). O sırada kendimi gerçekten şimdiden bunları elde etmiş gibi hissediyordum.

Bir gün taşınmamız gerekti ve tüm mobilyalarımızı, eşyalarımızı koyduğumuz kutularla birlikte depoya kaldırdık. Bunu izleyen beş yıl içinde ise, üç farklı yere taşındık. Sonunda, Kaliforniya'ya gelerek bu evi satın aldım. Bir yıl boyunca onarılmasını bekledikten sonra, nihayet beş yıl önceki eski evimde kalan bütün eşyalarımı buraya taşıdım. Bir sabah oğlum Keenan çalışma odama geldiğinde, beş yıl önce kapatılmış olan kutulardan biri kapının girişinde duruyordu. Oğlum bana; "Bu kutularda ne var baba?" diye sordu. "Bunlar benim Düş Panolarım" dedim. Sonra; "Düş panosu nedir?" dedi. "Tüm hedeflerimi koyduğum yer" dedim; "Hayatımda başarmak istediğim şeylerin birer resmini bulup, onları kesiyor ve bu panoya hedeflerim olarak asıyorum" Henüz beş buçuk yaşında olduğu için ne demek istediğimi anlamadı tabii. Bunun üzerine; "Tatlım izin ver sana göstereyim; sana bunu en kolay böyle anlatabilirim" dedim.

Kutuyu keserek açtım; düş panolarımdan birinin üzerinde, beş yıl önce zihnimde canlandırmış olduğum evin resmi vardı. Bizi şoke eden şey ise; şu an o evde yaşıyor olmamızdı. Benzer bir evde değil, o evde yaşıyorduk. Düşlediğim evi, aynı ev olduğunu bile fark etmeden satın almış ve onartmıştım. Eve bakıp ağlamaya başladım, dağılmıştım. Keenan; "Neden ağlıyorsun?" diye sordu. "Sonunda çekim yasasının nasıl çalıştığını, zihinde canlandırmanın gücünü, okuduğum, hayatım boyunca çalıştığım her şeyi, şirketlerimi nasıl kurduğumu anladım. Evim için de çalışmış, düşlerimizdeki evi satın almış ve bunun farkına bile varmamıştım."

"Hayal etmek her şey demektir. Hayatın size getireceklerinin bir ön gösterimidir"

Albert Einstein (1879–1955)

Bir düş panosu sayesinde, hayal gücünüzü serbest bırakabilir, sahip olmak istediğiniz her şeyin , yaşamak istediğiniz hayat tarzının resimlerini panonuza yapıştırabilirsiniz. Düş Panonuzu, John Assaraf'ın yaptığı gibi, ona her gün bakabilmek için görünür bir yere astığınızdan emin olun. Oradakilere şu an sahip olduğunuzu hissedin. Onları aldıktan sonra ise bunun için şükrederek eski resimleri kaldırıp yerine yenilerini asabilirsiniz. Bu yöntem, çocukları çekim yasasıyla tanıştırmakta olağanüstü başarılı bir yöntemdir. Düş Panosu yaratmanın, dünyanın her yerindeki ebeveyn ve öğretmenlere esin vereceğini umuyorum.

"Sır"ra ait web sitesinin forumuna katılanlardan biri, "Sır" kitabının bir resmini kendi düş panosuna koymuş. "Sır"rı okumasına rağmen, kitabın bir kopyasına sahip değilmiş. O, düş panosunu yaptıktan iki gün sonra, aklıma bir fikir geldi ve foruma katılıp bana başvuran ilk on kişiye "Sır" kitabını hediye edeceğimi sitede ilan ettim. O ise, o on kişiden biriydi! "Sır" kitabını bunu düş panosuna astıktan tam iki gün sonra elde etmişti. "Sır"ın kitabı da olsa, bir ev de olsa, tasarlamanın ve onu elde etmenin mutluluğu muhteşem!

Zihinde canlandırmanın (visualization) ne kadar etkili olduğunu anlatan bir örnek de annemin ev alma deneyimine ait. Annemin istediği ev için birçok insan teklif vermişti. Annem evi almak için "Sır"rı kullanmaya karar verdi. Oturup, adını ve yeni evin adresini defalarca yanyana yazmaya başladı ve yazdığını kendi adresiymiş gibi hissedene kadar bunu sürdürdü. Daha sonra, yeni eve yerleştireceği eşyaları tek tek hayal etti. Bunları düşünerek saatler geçirdiği sırada bir telefon aldı; teklifinin kabul edildiği bildiriliyordu. Son derece heyecanlanmasına rağmen, şaşırmamıştı, çünkü evin kendinin olduğunu zaten biliyordu. Tam bir şampiyon!

Jack Canfield

Ne istediğinize karar verin. Bunu elde edebileceğinize inanın. Bunu hakettiğinize ve sizin için olanaklı olduğuna inanın. Sonra, her gün birkaç dakikalığına gözlerinizi kapatın ve elde etmek istediğiniz şeye eriştiğinizi zihninizde canlandırın. Bu duygudan çıkın ve şu an şükretmekte olduğunuz şeylere odaklanın ve ciddi ciddi bunun keyfini yaşayın. Daha sonra, gerisini Evren'e bırakın ve O'nun dileğinizi gerçekleştirmenin bir yolunu bulacağına güvenerek günlük işlerinize dalın.

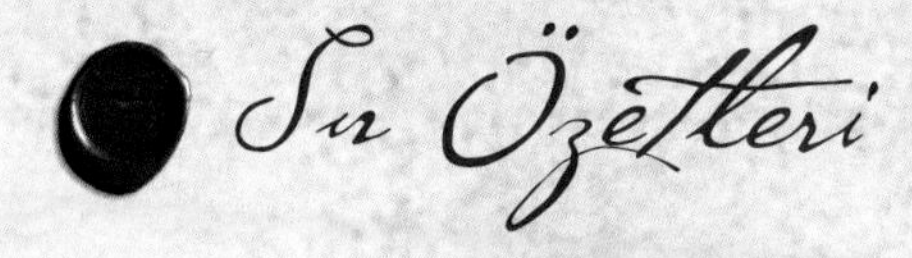

- *Beklenti, etkili bir çekim gücüdür.*

- *Şükretmek, enerjinizi yönlendirerek isteklerinizi daha çok hayata geçirmenizi sağlayan etkili bir süreçtir. Sahip olduklarınız için şükrettikçe daha çok iyilik ve güzelliği kendinize çekeceksiniz.*

- *Elde etmek istedikleriniz için önceden teşekkür etmek, arzularınıza ekstra güç yükler ve Evren'e onlara dair daha güçlü sinyaller gönderir.*

- *Zihinde canlandırma (visualization), beyninizin içinde, kendinizi ulaşmak istediğiniz şeylerin keyfini çıkarırken görebileceğiniz imgeler yaratma sürecidir. Arzunuzu zihninizde canlandırırken, onun şimdiden gerçekleşmiş olduğunu düşünür, buna dair hisler üretirsiniz. Çekim yasası da, zihninizde tasarladığınız bu görüntüye dair gerçeği size geri döndürür.*

- *Çekim yasasından faydalanmak için, bunu bir kerelik bir olay olarak görmeyerek, varoluşunuza dair bir alışkanlık haline getirin.*

- *Her günün sonunda, uykuya dalmadan önce, o gün yaşadığınız olayları gözden geçirin. istediğiniz gibi gelişmeyen her olayı ya da anı, istediğiniz gibi gelişmiş haliyle beyninizin içinde yeniden yaşayın.*

Paranın Sırrı

"Aklın düşünebildiği her şey...kazanılabilir."

W. Clement Stone (1902–2002)

JACK CANFIELD

"Sır" benim için gerçek bir dönüşüm oldu; çünkü ben, zengin insanların başkalarını kazıkladığını ve ancak birilerini aldatarak zengin olunduğunu düşünen bir babayla büyüdüm. Böylece, büyüyene kadar paraya dair birçok düşünce geliştirdim, bunlar; para insanı bozar, ancak kötü insanlar para sahibi olabilir, para ağaçta yetişmez gibi fikirlerdi. "Sen beni Rockefeller mı sanıyorsun?" cümlesi babamın en sevdiği lafıydı. Kısacası, hayatın gerçekten zor olduğuna inanarak büyüdüm ve ancak W.Clement Stone'u tanıdıktan sonra hayatımı değiştirmeye başladım.

Stone'la çalışırken, kendisi bana; "Senden bir hedef

belirlemeni istiyorum; bu öyle büyük bir hedef olsun ki, onu elde ettiğinde, seni çıldırtsın ve ona ulaşmanın tek nedeninin sana ona ulaşacağını öğretmiş olmam olduğunu anlamanı sağlasın." Yılda yaklaşık sekiz bin dolar kazanıyor olduğum o dönemde; "Yılda yüz bin dolar kazanmak istiyorum" dedim. Bunu nasıl başarabileceğime dair hiçbir fikrim yoktu. Hiçbir stratejim olmamasına, hiç ihtimal vermememe rağmen; "Bunu ifade edeceğim, buna inanacağım, bu doğruymuş gibi davranıp, bunu yayacağım" dedim ve öyle yaptım.

Bana öğrettiği şeylerden biri, her gün gözlerimi kapayarak, hedeflerime şimdiden ulaşmış olduğumu zihnimde canlandırmaktı. Yüz bin dolarlık bir banknot hazırlayarak bunu tavana yapıştırdım. Böylece, uyandığımda ilk yaptığım şey yukarı bakıp o banknotu görmek olacak, bu da bana böyle bir dileğim olduğunu hatırlatacaktı. Sonrasında ise, gözlerimi kapatarak, bu yılda-yüz-bin-dolarlık-yaşam-biçimini yaşadığımı zihnimde canlandıracaktım. Otuz gün boyunca önemli bir şey yaşanmaması yeterince dikkat çekiciydi. Ne bana atılım yaptıracak herhangi bir büyük fikir aklıma gelmişti, ne de kimse bana para teklif etmişti.

Bunu izleyen dört hafta içinde, aklıma yüz bin dolarlık bir fikir geldi. Öyle birdenbire aklıma geliverdi. Yazmış olduğum bir kitap vardı; "Her biri bir çeyrekten, dört yüz bin adet satarsam, yüz bin dolar kazanırım" diye düşündüm. Söz konusu kitap zaten vardı ama, hiç böyle düşünmemiştim. (Sırlardan biri de, size ilhamla gelen bir fikriniz varsa, ona güvenip, harekete geçmenizdir). Dört yüz bin adet kitabı nasıl satacağımı bilmiyordum.

Sonra, markette "National Enquirer" gazetesini gördüm. Bu gazeteyi daha önce defalarca görmüştüm ama daima arka planda kalmıştı. O gün ise, sanki birdenbire üstüme atlamış ve ön plana geçmişti ve ben; "Bu gazetenin okuyucuları kitabımdan haberdar olurlarsa, dört yüz bin kişinin mutlaka gidip kitabımı alacağını" düşündüm.

Altı hafta kadar sonra, New York'taki "Hunter College"da altı yüz kişilik bir öğretmen grubuna vermiş olduğum konferanstan sonra, bir kadın yanıma yaklaştı ve; "Harika bir konuşmaydı, sizinle röportaj yapmak isterim. Buyrun kartım burada" dedi. Kartta yazılana göre, "National Enquirer" gazetesi için serbest çalışan bir yazardı. Kafamın içinde "Alacakaranlık Kuşağı" (Twilight Zone) filminden bir parça çalmaya başladı; "vay be, malzeme gerçekten işe yarıyor" dedim. Beklenen makale geldi ve kitabımızın satışları yükselişe geçti.

Burada belirtmek istediğim nokta, bu kişi de dahil olmak üzere, bütün bu olayları ve insanları hayatıma çekmiş olmam. Kısa kesmek gerekirse, o yıl yüz bin dolar kazanamadım. Kazandığım para, doksan iki bin üç yüz yirmi yedi dolardı. Buna bozulup, "işe yaramadı" dediğimizi mi düşünüyorsunuz yoksa? Hayır, böyle bir şey söylemedik. "Bu olağanüstü bir şey!" dedik. Sonra eşim bana; "Yüz bin dolarda işe yaradığına göre, bir milyon dolar için de işe yarar mı ne dersin?" diye sordu. Cevabım; "Bilmiyorum. İşe yarayacağını düşünüyorum. Haydi gel deneyelim" oldu.

Yayıncım, ilk "Tavuk Suyuna Çorba" kitabımın telif hakkı için bana yazdığı çekin üzerine imzasıyla birlikte bir gülen yüz yapmıştı, çünkü bu onun hayatı boyunca yazdığı ilk bir milyon dolarlık çekti.

Böylece sonucu kendi deneyimimle görmüş oldum, çünkü onu test etmek istedim. "Sır" gerçekten işe yarıyor mu? Bunu test ettik; kesinlikle işe yaradı ve ben artık hayatımın her gününü "Sır"la yaşıyorum.

"Sır"ra dair bilgi ile çekim yasasının bilinçli kullanımı, hayatınızdaki her bir nesneye uygulanabilir. Oluşturmak istediğiniz her şey için aynı süreç geçerli olup, para konusu da farklı değildir.

Parayı kendinize çekmek için, zenginlik konusuna odaklanmalısınız. Yeterince paranız olmadığını vurgulayarak, parayı hayatınıza çekmeniz imkansızdır; çünkü, bu yeterli paranız olmadığına dair düşüncelere sahip olduğunuz anlamına gelir. Az paranız olduğuna odaklanarak, yeterince paranız olmamasına dair anılmamış diğer koşulları da oluşturmanıza sebep olur. Hayal gücünüzü sahneye davet etmek ve istediğiniz kadar paraya şimdiden sahip olduğunuza kendinizi inandırmak zorundasınız. Aslında bunu yapmak o kadar eğlenceli ki! Kendinizi zengin rolü yapıyor, ya da zenginlik oyunu oynuyor gibi düşünürken, paraya dair güzel şeyler hissedecek, bunu hissettikçe de paranın hayatınıza aktığını göreceksiniz.

Jack'in bu olağanüstü deneyimi, "Sır" ekibine web sitemiz www.thesecret.tv'ye ücretsiz indirilebilecek boş bir çek yaprağı koyma konusunda ilham verdi. Bu çek Evren Bankası'ndan size gönderiliyor. Üzerine isminizi, miktarı ve diğer detayları yazarak, onu her gün görebileceğiniz bir yere asın. Bu çeke bakarken, o paraya şu an sahip olduğunuzu hissedin. O parayı harcamayı, onunla satın alacağınız ve yapacağınız her şeyi hayal edin. Bunun ne kadar muhteşem bir şey olduğunu duyumsayın! O paranın sizin olduğunu bilin, çünkü istediğinize göre sizindir. "Sır" çekini kullanarak, büyük miktarda parayı hayatına çeken yüzlerce insan duyduk. İşte size işe yarayan eğlenceli bir oyun!

Bolluğu Çekmek

Bir insanın parasının olmamasının tek sebebi, paranın kendilerine gelmesini düşünceleriyle engelliyor olmalarıdır. Her olumsuz düşünce his ve duygu, iyi şeylerin size gelmesini engeller, para da buna dahildir. Parayı sizden esirgeyen Evren değildir, çünkü dilediğiniz paranın tamamı şu an görünmeyen alanda mevcuttur. Yeterince paranız yoksa, bunun sebebi, paranın size akmasını durdurmanız ve bunu düşünceleriniz aracılığıyla yapmanızdır. Düşüncelerinize dair terazinin ayarını, yetersiz-paradan, gereğinden-fazla-paraya doğru düzenlemelisiniz. Yoksunluktan çok bolluk ve bereketi düşünün, teraziyi ayarlamış olursunuz.

Paraya ihtiyacınız olduğunda, bunu kendi içinizde çok güçlü hissedersiniz; bu da tabii, çekim yasasını harekete geçirir ve böylece paraya daha çok ihtiyaç duymanıza neden olur.

Paraya dair deneyimlerinden söz edebilecek biriyim; çünkü, "Sır"ı keşfetmeden hemen önce, muhasebecilerim bana, şirketimin yılı büyük bir kayıpla kapattığını ve üç ay içinde tarih olacağını söylemişlerdi. On yıllık zorlu bir çalışmanın eseri olan şirketim, parmaklarımın arasından kayıp gidiyordu. Ben şirketimi kurtarmak için daha çok paraya ihtiyaç duydukça, durum daha da kötüye gidiyordu. Hiç bir çıkar yol göremiyordum.

Sonra "Sır"ı keşfettim ve şirketimin durumu dahil hayatımdaki her şey tamamen değişti; çünkü düşünce biçimimi değiştirmiştim. Muhasebecilerim rakamlara odaklanıp, şikayet etmeye devam etseler de ben, bolluk bereket ve güzel günlere odaklanmayı sürdürdüm. Evren'in bunu bana vereceğine varlığımın her zerresiyle inanıyordum ve öyle de oldu. Evren, hayal bile edemediğim yollar bulmuştu. şüphe duyduğum zamanlar olduğunda ise, düşüncelerimi hemen değiştirdim ve elde etmek istediğim sonucu düşünmeye başlayarak, bu sonuç için teşekkür ettim, keyiflendim ve ona inandım!

Size "Sır"a dair bir sır vermek istiyorum; sizi yaşamak istediklerinize götürecek kısayol, şu an mutlu OLMANIZ ve mutluluğu HİSSETMENİZDİR! Parayı ve istediğiniz her şeyi hayatınıza çekmenizin en kestirme yolu budur. Bu neşe ve mutluluk duygularına dair ışınları Evren'e yaymaya odaklanın. Bunu yaptığınız zaman, size neşe ve mutluluk getirecek her şeyi kendinize çekeceksiniz ve bu sadece para konusundaki bereketle sınırlı kalmayarak, ulaşmak istediğiniz her şeyi kapsayacak. İstediklerinizi size getirecek sinyalleri yaymalısınız. Yayacağınız mutluluk ışınları, yaşam deneyimleriniz olarak size geri dönecek. Çekim yasası, en içteki duygu ve düşüncelerinizi size yaşamınız olarak geri yansıtır.

Zenginliğe Odaklanmak

DR. JOE VITALE

Bir çok insanın ne düşündüğünü tahmin edebiliyorum: "Daha çok parayı hayatıma nasıl çekebilirim? Şu yeşillerden daha çok edinmemin bir yolu var mı? Daha bol gelir ve zenginliğe nasıl ulaşabilirim? Elde ettiğim para bana işimden dolayı geldiğine göre, hem işimi sevip, hem kredi kartı borçlarımla başa çıkıp, hem de bana gelecek paranın en üst sınırlara ulaşabileceğini nasıl hayal edebilirim? Nasıl daha çok kazanabilirim?" Dileyin!

Bunlar bizi, "Sır"dan bahsederken hep söylediğimiz şeylere geri götürüyor. Sizin yapmanız gereken şey, Evren'e ait katalogdan almak istediklerinizi seçmek. Nakit bunlardan biriyse, ne kadar istiyorsunuz onu söyleyin. "Gelecek otuz gün içinde yirmi beş bin dolarlık beklenmedik bir gelir elde etmek istiyorum" deyin; ya da ne olmasını istiyorsanız onu söyleyin. Söyleyeceğiniz şey inanabileceğiniz bir şey olmalı.

Geçmişte, paranın size gelmesinin tek yolunun işiniz olduğunu düşündüyseniz, bundan hemen vazgeçin. Böyle düşünmeye devam ederseniz, yaşamanız gereken şeyin bu olacağını anlayabiliyor musunuz? Bu tür düşünceler işinize yaramayacaktır.

Artık sizin için de bolluk ve bereket ihtimali olduğunu ve paranın size "nasıl" geleceğinin sizin düşünmeniz gereken bir şey olmadığını anlamaya başladınız. Size düşen, istemek, istediğinizi almakta olduğunuza inanmak ve kendinizi mutlu hissetmek.

Dileklerinizin size nasıl geleceği konusundaki detayları Evren'e bırakın.

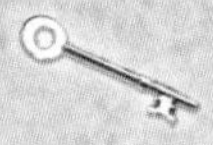

BOB PROCTOR

Birçok insanın borçtan kurtulmak gibi bir hedefi var. Bu, sonsuza kadar borç içinde kalmanıza sebep olacaktır. Neyi düşünürseniz onu çekersiniz. "İyi işte, borçtan kurtulmayı düşünüyorum" diyebilirsiniz. Borçtan kurtulmayı mı, borç içinde yüzmeyi mi düşündüğünüz beni ilgilendirmiyor, borç düşünüyorsanız, borç çekersiniz. Otomatik bir borç ödeme programı ayarlayın ve zenginliğe odaklanmaya başlayın.

Nasıl ödeyeceğinizi bilmediğiniz bir tomar faturanız varken, o faturalara odaklanamazsınız; çünkü bu daha çok faturayı kendinize çekmenize sebep olur. Etrafınızdaki faturalar yerine, zengin olmaya odaklanmanıza yarayacak bir yöntem bulmalısınız. Kendinizi iyi hissetmenin bir yolunu bulun ki, iyi şeyleri kendinize çekebilesiniz.

JAMES RAY

"Gelecek yıl, gelirimin ikiye katlanmasını isterim" cümlesini o kadar çok insandan duydum ki; ama sonra, bu insanların faaliyetlerine baktığımda, bunu gerçekleştirecek şeyleri yapmadıklarını gördüm. Onlar sürekli kendi etraflarında dönerek, "buna güçlerinin yetmediğini" söyleyecekler. Bilin bakalım neden? Çünkü; "Dileğiniz benim için emirdir".

"Gücüm yetmiyor" sözleri sizin dudaklarınızdan da döküldüyse, şu an bunu değiştirme gücüne sahipsiniz. Bu sözlerinizi, "Buna gücüm yetiyor! İstediğim şeyi satın alabilirim!" cümleleriyle değiştirin ve tıpkı bir papağan gibi tekrar tekrar söyleyin. Gelecek otuz gün için, çevrenizde görüp beğendiğiniz her şeye bakarak, kendi kendinize "Buna gücüm yeter. Onu satın alabilirim" demeyi adet haline getirin. Düşlerinizdeki otomobili gördüğünüzde, ona doğru gidin ve; "Buna gücüm yeter" deyin. Beğendiğiniz kıyafetleri gördüğünüzde, harika bir tatil programı düşündüğünüzde de yine; "Buna gücüm yeter" deyin. Bunu yaptıkça, kendinizi başka bir frekansa taşıyacak, para konusunda daha iyi hissetmeye başlayacaksınız. Kendinizi bütün o düşündüklerinizi alabileceğinize inandırmaya başladıkça, hayatınızın görüntüleri de değişecek.

LISA NICHOLS

Yokluk, eksiklik ve sahip olmadıklarınıza odaklandığınızda, aile içinde bundan yakınır, arkadaşlarınızla bunu tartışır, "Buna imkanımız yok, bunu satın alamayız" diyerek çocuklarınıza bu konuda yetersiz kaldığınızı anlatır ve böylece asla bunları karşılayacak imkanı bulamazsınız; çünkü sahip olmama halini artık daha da çok kendinize çekersiniz. Bolluk, bereket ve zenginlik istiyorsanız, o zaman bolluk, bereket ve zenginliğe odaklanın.

> "Gözle görülen tüm serveti sağlayan manevi öz asla tüketilemez.. O daima sizinledir, ona olan inancınıza ve ondan istediklerinize yanıt verir."
>
> Charles Fillmore (1854–1948)

Şimdi artık "Sır"rı biliyorsunuz, varlıklı birilerini gördüğünüzde, o insanların, bilinçli ya da bilinçsiz baskın düşüncelerinin, yoksulluk üzerine değil, zenginlik üzerine yoğunlaştığını ve böylece serveti kendilerine çektiklerini de anlıyorsunuz. Onlar düşünceleriyle zengin olmaya yoğunlaştılar, Evren de onlara birer servet vermek için, insanları, koşulları ve olayları harekete geçirdi.

Onların sahip oldukları servete siz de sahipsiniz. Aradaki tek fark, onlar bu zenginliği kendilerine getirecek şeyler düşündüler. Sizin servetiniz de görünmez alanda sizi beklemekte, onu görünür kılmak için yapmanız gereken şey ise; zenginliği düşünmek!

DAVID SCHIRMER

"Sır"rı ilk öğrendiğim zamanlar, posta kutumda her gün bir tomar fatura buluyordum. "Bunu nasıl değiştirebilirim?"diye düşündüm. Çekim yasası, neye odaklanırsak onu çekeceğimizi söylüyordu, ben de gidip bankadan bir hesap cüzdanı aldım, oradaki miktarı silerek yerine yeni bir miktar yazdım. Bankada kaç param olmasını istiyorsam tam olarak o rakam orada yazılıydı. Sonra; "Çeklerin posta kutuma geldiklerini zihnimde canlandırsam ne olur?" diye düşündüm ve posta kutuma deste deste çekler geldiğini hayal ettim. Bir ay sonra işler değişmeye başladı. Olağanüstüydü; bugün hala posta kutuma çekler geliyor. Faturalarım da var tabii, ama çeklerim faturalarımdan daha fazla.

"Sır" kitabı çıktığından beri, yüzlerce insandan kitabı okuduklarında bile, beklenmedik para çekleri aldıklarını söyleyen yüzlerce mektup aldık. Bunun gerçekleşmesinin sebebi, bu insanların tüm dikkatlerini David'in öyküsüne vererek ona odaklandıkları sırada, para çeklerini kendilerine çekmiş olmalarıydı.

Kendi bulduğum bir oyun, duygularımı fatura yığınlarından çekip çıkarmama yardımcı oluyor; faturalar sanki birer para çekiymiş gibi davranıyorum. Onları açtıkça sevinçle zıplayıp; "Daha çok param oldu! Teşekkürler, teşekkürler" diyorum. Her bir faturayı alıp, onun bir para çeki olduğunu hayal ediyor, sonra zihnimin içinde ona bir sıfır ekliyor, daha bile çoğaltıyorum. Kendime bir not defteri aldım ve ilk sayfasının başına; "Tahsil Ettiklerim" yazdım sonra sayfaya faturalarda yazan rakamları birer sıfır ekleyerek listeledim. Sonra tüm tutarların yanına "teşekkürler" yazarak bunları aldığım için şükrettiğimi hissettim ve gözlerimde yaşlar vardı. Artık aldıklarımla karşılaştırınca çok küçük görünen faturaları minnettarlık duyarak ödeyebilirdim!.

Faturalarımı, onların birer para çeki olduklarına kendimi inandırıp bunu hissedinceye kadar, asla açmıyordum. Onları birer çek olduklarını düşünmeden önce açarsam, midemde bir şeyler kıpırdıyordu. Midemdeki bu hareketin bana biraz daha faturaya mal olacağını biliyordum. Hayatıma daha çok para getirmek için ise; bu duyguyu silip, yerine sevinç ve mutluluğu duyumsamam gerektiğinin de farkındaydım. Fatura yığınlarına karşı oynadığım bu oyun bende işe yaradı ve hayatımı değiştirdi. Sizlerin de kendiniz için yaratacağınız bir çok oyun var; kendiniz için en uygun olanı hisleriniz aracılığıyla yine kendiniz bilirsiniz. İnanmış gibi davrandığınız zaman, sonuç çabucak gelecektir!

LORAL LANGEMEIER

FİNANSAL STRATEJİST, KONUŞMACI, BİREYSEL KOÇ, ŞİRKET KOÇU

Ben; "Para kazanmak için çok çalışmak gerekir" öğütleriyle büyüdüm. Sonra bunu; "Para kolayca ve bolca gelir" cümlesiyle değiştirdim. Şimdi, işin başında söylediklerim yalan gibi görünüyor; öyle değil mi? Beyninizin bir kısmı; "Hadi oradan yalancı, para kazanmak zordur" diyor. Bilmeniz gereken bir şey de, beyninizin içindeki bu küçük tenis maçının bir süre devam edeceği.

"Para kazanmak için gerçekten çok çalışmalı ve mücadele etmeliyim" biçiminde düşünüyorduysanız, bundan hemen vazgeçmelisiniz. Şimdiye kadar böyle düşünerek frekans yaydınız ve bu düşünceleriniz yaşam deneyimleriniz olarak size geri döndü. Loral Langemeier'in tavsiyesine uyun ve bu düşüncenizi; "Para kolayca ve bolca gelir" düşüncesiyle değiştirin.

DAVID SCHIRMER

Servet yapmaya gelince, bu bir düşünce biçimidir. Her şey nasıl düşündüğünüze bağlıdır.

LORAL LANGEMEIER

Gruplar üzerinde yaptığım koçluk çalışmasının yüzde sekseni, onların psikolojileri ve düşünce biçimleri üzerine oluyor. Bu yüzden; "Sen yapabilirsin ama ben yapamam" diyen birçok insan tanıdım. İnsanlar, kendi içsel bağlantılarını ve paraya dair konuşmalarını değiştirme yeteneğine sahipler.

"İyi haber, öğrendiklerinizin, düşünmüş olup inandıklarınızdan daha önemli olduğuna karar verdiğiniz an, sorgulamanızdan çark ederek, zenginliğe doğru yol alacak olmanız. Başarı dışarıdan değil içeriden gelir".

Ralph Waldo Emerson (1803–1882)

Daha fazla parayı kendinize çekmek için, paraya dair konularda kendinizi iyi hissetmelisiniz. İnsanların yeterince paraları olmadığında, parayla ilişkilerinin kötü olmasını anlamak kolaydır, çünkü bu insanların yeterince parası yoktur. Yine de, paraya ilişkin bu olumsuz duygular paranın size gelmesini engeller! Çemberi kırmak zorundasınız; bunu, paraya dair iyi şeyler hissetmeye başlayarak, paranız olduğu için şükrederek yapabilirsiniz. "Gerekenden fazla param var" deyip bunu hissedin. Sonra da şöyle devam edin: "Yoluma çıkmak üzere olan bereketli bir para var"."Ben bir para mıknatısıyım". "Parayı seviyorum, para da beni". "Her gün biraz daha para kazanıyorum". "Teşekkürler. Teşekkürler. Teşekkürler."

Para Kazanmak İçin Para Verin

Para vermek, hayatınıza para getirmekte etkili olur, çünkü bir şeyi verdiğiniz zaman; "Bende daha çok var" demiş oluyorsunuz. Şimdi herhalde, yeryüzündeki en zengin insanların en hayırsever insanlar olduğunu öğrenmek de sizi şaşırtmaz. Bu insanlar yüklü miktarlarda parayı diğerlerine dağıtırlar, onlar verdikçe de, çekim yasası sayesinde, Evren baraj kapaklarını açar ve yığınlarca para bu hayırsever insanlara doğru akarak onlara geri döner; kat kat çoğalmış olarak!

"Başkalarına verecek kadar param yok" diye düşünüyorsanız; bingo! Artık neden yeterince paranız olmadığını biliyorsunuz! Vermeye yetecek kadar paranız olmadığını düşündüğünüz zaman, vermeye başlayın. Vermeye dair inancınızı gösterdiğinizde, çekim yasası size, daha çok vermeniz için, daha çok verecektir.

Vermekle, fedakarlık etmek arasında çok fark vardır. Bir şeyleri kalpten vermek, dolup taşmaktır ve çok güzel bir duygudur. Fedakarlık etmek ise insana kendisini iyi hissettirmez. İkisini karıştırmayın; birbirleriyle tümüyle karıştılar. Biri eksiklik sinyali yayarken, diğeri yetip-de-arttığı sinyalini veriyor. Biri mutlu ederken, diğeri mutlu etmiyor. Fedakarlık, sonuç olarak içerleme duygusuna yol açar. İnsan bir şeyleri tüm kalbiyle verdiğinde ise, yapabileceği en keyifli işi yapmış olur ve çekim yasası bu sinyali yakalayarak daha bile fazlasını hayata geçirir. Aradaki farkı hissedebilirsiniz.

JAMES RAY

Çok fazla parası olan birçok insan tanıdım; ama, onların insan ilişkileri rezaletti. Zenginlik bu değildir. Para peşinde koşabilir, yüksek gelir sahibi olabilirsiniz, ama bu varlıklı olduğunuz anlamına gelmez. Paranın zenginliğin bir parçası olmadığını iddia etmiyorum, tabii ki öyle; ama yalnızca bir parçası.

Ayrıca, "spiritüel" fakat; sürekli hasta ve meteliksiz yaşayan bir çok insan da tanıdım. Bu da zenginlik değil. Yaşamak her alanda bolluk ve bereket içinde olmak demektir.

Zenginliğin manevi bir şey olmadığına inandırılarak yetiştirildiyseniz, size kesinlikle; Catherine Ponder'ın "Millionaires of the Bible" dizisinden bir kitap okumanızı öneririm. Bu görkemli kitaplarda, Hz. İbrahim, Hz.İshak, Hz.Yakup, Hz.Yusuf, Hz.Musa ve Hz.İsa'nın bolluk ve bereket konusunda yalnızca birer öğretmen değil aynı zamanda birer milyoner olduklarını ve günümüzün birçok milyonerlerinin düşünebileceğinden çok daha varlıklı yaşamış olduklarını da keşfedeceksiniz.

Sizler krallığın varislerisiniz. Zenginlik ve başarı doğuştan hakkınız ve yaşamınızın her alanında, büyük olasılıkla hayal edebileceğinizden daha zengin olmak için anahtarı elinizde tutuyorsunuz. İstediğiniz bütün iyi şeyleri hakediyorsunuz; ve hayatınıza çağırmayı bildiğiniz taktirde, Evren hakettiğiniz bu güzellikleri size verecek. Artık "Sır"rı biliyorsunuz. Anahtarınız var. Anahtar sizin duygu ve düşünceleriniz ve bu anahtar aslında tüm yaşamınız boyunca sizdeydi.

MARCI SHIMOFF

Batı kültürlerinde bir çok insan, başarı kazanmaya uğraşıyor. Bu insanlar güzel evlerde yaşamak, işlerinde iyi kazanmak gibi maddiyata ilişkin zenginlikleri elde etmek istiyor olsalar da, biz çalışmalarımızda, bu dışsal etkenlerin, bizim gerçekte istediğimiz şey olan mutluluğu garanti etmediklerini gördük.

Bizler, mutluluk getireceklerini düşündüğümüz bu maddi etkenlerin peşinde koşuyoruz ama bu aslında gerilemek oluyor. Gerçekte ihtiyacımız olan şey içsel mutluluk ve iç huzuru. Önce içsel vizyon elde edildiğinde, dış etkenlerin tamamı zaten ortaya çıkar.

İhtiyaç duyduğunuz tek şey içsel bir görevdir! Dış dünya etkilerden oluşur ve sadece düşüncelerinizin sonucudur. Düşüncelerinizi ve frekansınızı mutluluğa ayarlayın içinizdeki mutluluk ve neşe duygusunu dışarıya yansıtarak, bu sinyalleri tüm gücünüzle Evren'e iletin, dünya üzerindeki gerçek cenneti yaşayacağınızı göreceksiniz.

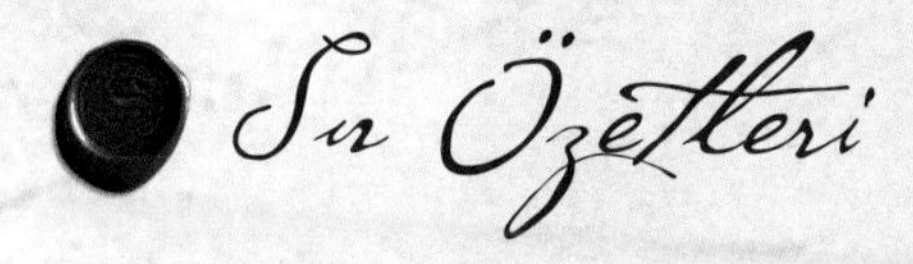

- *Parayı kendinize çekmek için varlığa odaklanın. Parasızlığa odaklanarak, hayatınıza para getirmeniz imkansızdır.*

- *Hayal gücünüzü kullanarak sahip olmak istediğiniz paraya zaten sahipmiş gibi yapmanız faydalı olacaktır. Servet sahibi olmaya dair oyunlar oynayarak kendinizi para konusunda daha mutlu hissedersiniz ve siz kendinizi mutlu hissettikçe para hayatınıza daha çok akar.*

- *Mutlu olmak, parayı hayatınıza çekmenin en hızlı yoludur.*

- *Beğendiğiniz her şeye bakarak kendi kendinize; "Buna gücüm yeter. Bunu satın alabilirim" deyin. Böylece düşünce biçiminizi değiştirecek, para konusunda kendinizi daha iyi hissetmeye başlayacaksınız.*

- *Hayatınıza daha çok para getirmek için, para verin. Para konusunda cömert davranıp, paylaştıkça mutlu olursanız; "Çok param var" mesajını vermiş olursunuz.*

- *Posta kutunuzda para çekleri imgeleyin.*

- *Düşüncelerinizin dengesini varlıktan yana değiştirin. Servet düşünün.*

İlişkilerin Sırrı

Marie Diamond

FENG SHUİ DANIŞMANI, ÖĞRETMEN VE KONUŞMACI

"Sır" bizlerin kendi Evrenlerimizi oluşturduğumuzu söylüyor ve bu gerçekleşmesini istediğimiz tüm dileklerin hayata geçeceği anlamına geliyor. Dolayısıyla, dileklerimiz, duygularımız ve düşüncelerimiz çok önemli, çünkü bir biçimde ortaya konacaklar.

Bir gün, hem çok ünlü bir film yapımcısı, hem de sanat yönetmeni olan bir müşterimin evine gitmiştim. Her köşeye aynı tarz nü resim asılmıştı. Resimlerdeki kumaşa sarılmış kadınlar, bize arkalarını dönmüş, "Seni görmüyorum" der gibiydiler. Ona; "Aşk hayatınızda sorunlar yaşıyor olabilirsiniz" dedim. O da bana;"Siz müneccim misiniz?" diye sordu. "Hayır ama, bakın, tam yedi yere aynı resmi asmışsınız" diye cevap verdim. "Ama ben bu tür yağlıboya tabloları seviyorum. Onları da kendim yaptım" dedi. "Bu çok daha kötü, çünkü tüm yaratımınızı ve yaratıcılığınızı da içine katmış oluyorsunuz" dedim.

Yakışıklı bir adamdı, yaptığı işten dolayı çevresi aktrislerle doluydu ve yaşadığı bir ilişki yoktu. Bunu ona sordum; "Nasıl yaşamak isterdin?". "Haftada üç kadınla çıkmak isterdim" dedi. Ben de ona; "Tamam o zaman bunun resmini yap. Kendini üç kadınla birlikte resmet ve onları yaşam alanının her yerine as" dedim.

Onu altı ay sonra yeniden gördüğümde; "Aşk hayatın nasıl gidiyor?" diye sordum. "Harika" dedi; "Kadınlar beni arayıp, benimle çıkmak istiyorlar". "Çünkü bunu diledin" dedim. "Kendimi harika hissediyorum. Yani senelerdir kimseyle çıkmamıştım, Şimdi haftada üç kadınla çıkıyorum. Benim için kavga ediyorlar" dedi. "Senin adına sevindim" dediğimde ise; "Artık daha tutarlı olmak, evlenip romantik yaşamak istiyorum" dedi. Buna cevabım; "Öyleyse bunu resmet" oldu. Romantik bir ilişki resmi yaptıktan bir yıl sonra, evlendi ve şimdi çok mutlu.

Bunun sebebi, bir dileğini daha su yüzüne çıkarmasıydı. Bunu yıllardır içten içe istemesine rağmen hayata geçiremiyordu, çünkü dileği ortaya çıkamıyordu. Benliğinin en dış seviyesi olan evi, dileğiyle sürekli ters düşüyordu. Şimdi, burada verilen bilgiyi iyi anladıysanız, hemen onunla oynamaya başlayabilirsiniz.

Marie Diamond'un müşterisine dair anlattığı bu hikaye, Feng Shui'nin "Sır"rın öğretilerini nasıl yansıttığını gösteren mükemmel bir örnek. Düşüncelerimizin davranışa dönüştürüldüklerinde, ne kadar etkili olduklarını da açıklıyor. Yaptığımız her hareket, bir düşüncenin ardından geliyor. Düşüncelerimiz, kullandığımız sözcükleri, hissettiklerimizi ve yaptığımız hareketleri oluşturuyor. Davranışlarımızın ise ayrı bir etkisi var, çünkü onlar bizim harekete geçmemize neden olan düşünceler.

En derindeki düşüncemizin ne olduğunu fark edemediğimiz zamanlarda bile, yaptığımız hareketlere bakarak, neler düşündüğümüzü anlayabiliriz. Film yapımcısına ilişkin öyküde, en derinlerde yer alan düşüncelerin insanın davranışlarına ve çevresine nasıl yansıdığını gördük. Kendisine arkasını dönmüş birçok kadın resmi yapmıştı. Onun en içteki düşüncelerinin neler olduğunu görebiliyor musunuz? Sözleriyle birçok kadınla flört etmek istediğini söylüyor olmakla birlikte, bu konudaki içsel düşüncelerini resimlerine yansıtmıyordu; davranışlarını bilinçli bir biçimde değiştirmek ise, düşüncelerini isteğine bütünüyle odaklamasına neden oldu. Yaptığı böylesine basit bir değişiklikle, hayatını resmederek, istediği yaşam tarzını çekim yasası aracılığıyla varolmaya çağırmasını sağladı.

Hayatınıza bir şeyleri çekmek istediğinizde, davranışlarınızın arzularınızla çelişmediğinden emin olun. Buna dair en müthiş örneklerden biri de, "Sır"da yer alan öğretmenlerden biri olan Mike Dooley tarafından "Leveraging the Universe and Engaging the Magic" (Evreni Harekete Geçirmek ve Sihirle Buluşmak) adlı sesli kurslarında verilmekte. Bu, mükemmel eşini hayatına çekmek isteyen bir kadının öyküsü. O bunun için gereken her şeyi doğru biçimiyle uygulamıştı: Bulmak istediği eşin niteliklerini kafasında netleştirmiş, bunlara dair ayrıntılı bir liste hazırlamış ve onunla birlikte yaşamak istediği hayatı zihninde canlandırmıştı. Bütün bunları yapmasına rağmen, beklediği eşle ilgili herhangi bir işaret yoktu.

Sonra bir gün, eve geldiğinde, arabasını garajının tam ortasına park ederken, birden davranışlarının isteğiyle çeliştiğini fark etti. Arabasını, böyle garajın ortasına park ettiğinde, mükemmel eşine park edecek yer kalmıyordu! Davranışlarıyla Evren'e verdiği mesajda, istediği şeyi alacağına inanmadığını söylüyordu. Böylece hemen garajı temizledi ve arabasını mükemmel eşine yer bırakacak şekilde park etti. Sonra, giysilerle tıkış, tıkış dolup taşan gardırobunu açtı; burada da mükemmel eşe yer yoktu. Yer açmak için giysilerinin bir kısmını oradan çıkardı. Yatağının ortasında yatmaktan da vazgeçti ve mükemmel eşinin yatacağı yeri boş bırakarak, "kendi" yerinde yatmaya başladı.

Söz konusu kadın, bir gece hikayesini Mike Dooley'e anlatırken, yanında oturan kişi, onun mükemmel eşiydi. Bütün o etkili hareketleri yaptıktan ve mükemmel eşine zaten ulaşmış gibi davranmaya başladıktan sonra, o insan hayatına girdi ve mutlu bir evlilik yaptılar.

"Mış gibi yapma"ya örnek bir diğer öykü de, "Sır" kitabının yapım yöneticisi olan kız kardeşim Glenda'ya ait. Avustralya'da yaşıyor, orada çalışıyordu ama, Amerika Birleşik Devletleri'ne gelerek buradaki ofiste benimle birlikte çalışmak istiyordu. Glenda "Sır"rı gayet iyi bilmesine ve isteğine ulaşmak için yapması gerekenleri doğru yapmasına rağmen, aylar geçtiği halde hala Avustralya'daydı.

Glenda davranışlarını gözden geçirdiğinde istediğine "ulaşmış gibi" davranmadığını fark etti. Hemen etkili bir biçimde hareket etmeye başladı. Hayatındaki her şeyi, Amerika'ya gidiyormuş gibi organize etti. Üyeliklerini iptal etti, ihtiyaç duymayacağı eşyalarını başkalarına dağıttı, valizlerini ortaya çıkarıp hazırladı ve dört hafta sonra, Glenda, Birleşik Devletler'deki ofisimizde bizimle çalışıyordu.

Evren'den ne istediğinizi düşünün ve davranışlarınızın, elde etmek istediğiniz bu dileğinizi yansıttığından, onunla çelişmediğinden emin olun. İsteğiniz gerçekleşiyormuş gibi davranın. Onu elde ettiğinizde neler yapacaksanız, bugün de aynılarını yapın ve bu büyük beklentiyi hayatınıza yansıtacak şekilde davranın. Arzularınıza ulaşmak için onlara yer açın; böyle yaptığınızda, umudun güçlü sinyallerini Evren'e yaymış oluyorsunuz.

Herkes Kendisinden Sorumludur

Lisa Nichols

Bir ilişki için, önemli olan o ilişkiyi yaşayanları anlamaktır, ve bu sadece eşiniz değildir. Önce kendinizi anlamalısınız.

James Ray

Siz kendinizden hoşnut olmadıktan sonra, başkalarının sizinle birlikte olmaktan hoşnut olmasını nasıl beklersiniz? Çekim yasası ya da "Sır", bir kez daha, ne düşünüyorsanız onu hayatınıza getirecektir. Gerçekten çok, çok net olmalısınız. Şimdi size, üzerinde iyice düşünüp taşınmanız gereken bir soru soruyorum: Kendinize başkalarının size davranmalarını istediğiniz gibi mi davranıyorsunuz?

Kendinize, başkalarının size davranmalarını istediğiniz gibi davranmadığınız sürece, olayların gidişatını değiştirmeniz mümkün değil. Davranışlarınız, etkili düşüncelerinizdir, bu yüzden, kendinize sevgi ve saygı göstermezseniz, yeterince önemli, değerli ve iyi şeyleri hakeden bir insan olmadığınız sinyalini yayarsınız. Bu sinyal yayılmaya devam ettikçe de, insanların size iyi davranmayacağı birçok durumla karşılaşacaksınız. Bu insanların davranışları sadece sonuçtur; sebep ise, düşüncelerinizdir. Kendinize sevgi ve saygıyla yaklaşmaya başlamalı, bu sinyali vermeli ve bu frekansa geçmelisiniz. Böylece, çekim yasası tüm Evren'i harekete geçirecek, hayatınız sizi sevip sayan insanlarla dolacak.

Fedakarlık yapmanın iyi insan olmak olduğunu düşünerek, başkaları için kendisini feda eden birçok insan vardır. Yanlış! Fedakarlık yapmak, mutlak bir yoksunluk olduğunu düşünmekten gelir; "Bundan herkes için yeterince yok, bu yüzden ben de onsuz idare edeceğim" demektir. Bu duygular insana pek hoş şeyler hissettirmez, içerleme duygusuna yol açarlar. Herkese yetecek kadar bolluk ve bereket vardır, bunu kendi istekleriyle çağırmak herkesin kendi sorumluluğudur. Bunu başkaları için çağırmanız mümkün değildir, çünkü başkalarının yerine düşünüp, hissedemezsiniz. Herkes kendisinden sorumludur. Mutlu olmayı öncelikli isteğiniz haline getirdiğinizde, bu ihtişamlı frekans ışımaya başlayacak ve size yakın olan herkese dokunacaktır.

DR. JOHN GRAY

Kendi kendinizin çözümü oluyorsunuz. Kimseyi kendi mutluluğunuzdan sorumlu tutmayın ve; "Bana borçlusun ve benim için daha çok şey yapmalısın" demeyin. Bunun yerine, kendiniz için daha çok şey yapın. Kendinizi mutlu etmeye zaman ayırın. Ancak kendi içinizi sevgiyle doldurduğunuzda, taşarak başkalarına sevgi verme noktasına gelebilirsiniz

"Sevgiyi elde etmek için... içinizi onunla öyle bir doldurun ki; sevgiyi çeken bir mıknatıs olun".

Charles Haanel

Birçoğumuza kendimizi sona bırakmamız öğretilmiştir, bunun sonucunda üzerimize çektiğimiz duygu ise, değersizlik ve bir şeylere layık olmama hissidir. Bu duygular içimizde yerleştikçe, bize kendimizi değersiz ve yetersiz hissettirecek daha fazla yaşam koşulunu da üzerimize çekeriz. Bu düşünce değiştirilmelidir.

"Şüphesiz, insanın kendisine bu kadar çok sevgi vermesi fikrini soğuk, katı ve acımasız bulanlar olacaktır. Yine de, bu meseleye başka bir açıdan da bakılabilir; sonsuzluk tarafından yönlendirilerek, 'Bir Numara'yla İlgilenmenin', aslında İki Numarayla İlgilenmek olduğunu anladığımızda, bunun, İki Numara'ya istikrarlı bir biçimde faydalı olmanın tek yolu olduğunu görürüz.

Prentice Mulford

Önce kendinizi doyurmadığınız sürece, başkasına verecek hiçbir şeyiniz olmaz. Dolayısıyla önce kendinize eğilmeniz zorunludur. Başta kendi mutluluğunuzla ilgilenin. İnsanlar kendi mutluluklarından sorumludur. Kendi mutluluğunuza yönelip, sizi keyiflendiren şeyler yaptığınızda, ortamın neşesi olur, çevrenizdeki çocuklar ve hayatınızdaki herkes için parlak bir örnek oluşturursunuz. Mutluluğu hissettiğinizde, insanlara bir şeyler vermeyi düşünmenize gerek bile kalmaz, çünkü bu doğal bir akıştır.

LISA NICHOLS

Flörtlerimin bana güzelliğimi göstereceklerini umarak, birçok ilişki yaşadım, çünkü kendi güzelliğimi göremiyordum. Ben küçükken beğendiğim kahramanlar, ya da "kahramaniçeler"; Biyonik Kadın, Harika Kadın ve Charlie'nin Melekleriydi. Bu olağanüstü kadınlar bana hiç benzemiyorlardı. Ben Lisa'ya aşık oluncaya kadar durum böyleydi; kahverengi tenime, kalın dudaklarıma, yuvarlak kalçalarıma, ve siyah kıvırcık saçlarıma aşık olmuştum. Ben kendime aşık olduktan sonra, dünyanın geri kalanı da bana aşık olabilirdi.

Kendinizi sevmek zorunda olmanızın nedeni, kendinizi sevmediğiniz taktirde mutlu olmanızın imkansız olmasıdır. Kendinizden hoşnut olmadığınız zaman, Evren'de sizin için varolan tüm iyilik ve sevgiyi bloke etmiş oluyorsunuz.

Halinizden memnun olmadığınızda, hayatı kendinizden uzaklaştırıyor gibi olursunuz, çünkü, iyiliğinize olan her şey, sağlık, zenginlik,aşk dahil tek tek her bir konu, mutluluk ve mutlu olma frekansındadır. Kendinizle ilgili mutlu değilseniz, "Siz"i mutsuz edecek, pek çok durum, insan ve olayı kendinize çekmeye devam edeceksiniz demektir.

Odak noktanızı değiştirmeli ve "Kendiniz"le ilgili iyi olan ne varsa onları düşünmeye başlamalısınız. Olumlu yanlarınızı araştırın.

Bunlara odaklandığınızda, çekim yasası size "Siz"le ilgili başka harikalıklar da gösterecektir. Ne düşünürseniz,onu çekersiniz. Yapmanız gereken şey, size dair iyi şeylere ait kalıcı bir düşünceyle başlamak, bunun üzerine çekim yasası size benzer düşünceler göndererek yanıt verecektir. Kendinize ilişkin güzellikleri arayın. Ararsanız, bulursunuz!

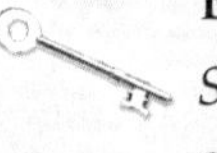

BOB PROCTOR

Sizle ilgili olağanüstü bir şey var. Kırk dört yıldır kendim için çalışıyorum. Bazen kendimi öpmek isterim! Çünkü bir süre sonra kendi kendinizi sever oluyorsunuz. Söylemek istediğim kendini beğenmişlik değil; insanın kendisine duyduğu sağlıklı özsaygıdan bahsediyorum. Kendinizi sevdiğiniz zaman, otomatik olarak başkalarını da seversiniz.

MARCI SHIMOFF

İlişkilerimizde, başkalarından yakınmaya fazla alışkınız. Örneğin; "İş arkadaşlarım çok tembel, kocam beni çok kızdırıyor, çocuklarım çok yaramaz" gibi yakınmalarımız vardır ve bunlar sürekli üçüncü kişiler üzerine odaklanır ama, ilişkilerin iyi, gerçekten iyi gitmesi için, diğerlerinden şikayet etmek yerine, onların takdir ettiğimiz yönlerine odaklanmamız gerekir. Yakındıkça, yakındıklarımız artarak bize geri gelecektir.

Bir ilişkide gerçekten çok zorlanıyor olsanız (yürümediğini, sorunları aşamadığınızı, sürekli eleştirildiğinizi düşünseniz) bile , o ilişkinin gidişatını değiştirebilirsiniz. Elinize bir kağıt alın ve bunu izleyen otuz gün boyunca o insana dair takdir ettiğiniz her şeyi yazın. Onu sevmenizin bütün nedenlerini düşünün. Espri anlayışını, size verdiği desteği düşünün. Takdir etmeye odaklandığınızda bulacaklarınız ve onların üzerinizdeki olumlu etkilerini itiraf etmeniz, size bunların artırılarak geri gelmesini sağlayacak ve sorunlar ortadan kalkacak.

LISA NICHOLS

Çoğunlukla başkaları tarafından mutlu edilmeyi bekleriz; ve genellikle onlar, bizi, bizim istediğimiz gibi mutlu etmeyi başaramazlar. Neden? Çünkü yalnızca bir kişi sizin mutluluğunuzdan ve sonsuz saadetinizden sorumlu tutulabilir; o kişi sizsiniz. Bu yüzden, anne-babanız, çocuğunuz ya da eşiniz de olsalar, sizin mutluluğunuzu yaratma şansına sahip değiller. Onlar, sadece sizin mutluluğunuzu paylaşabilirler. Mutluluğunuz kendi içinizde saklı.

Mutluluğunuza dair her şey, en yüksek ve en güçlü frekans olan sevgi frekansında. Sevgiyi ellerinizle tutamaz, onu yalnızca kalbinizle hissedebilirsiniz. Bu bir varoluş biçimidir. Başkaları aracılığıyla ifade edilerek kanıtlanabilmekle birlikte, sevgi, bir duygudur ve siz o sevgi hissini Evren'e yayıp, yollayabilen tek varlıksınız. Sınırsız bir sevgi üretme yeteneğiniz var, ve sevdiğiniz zaman Evren'le tam ve katışıksız bir uyum içinde oluyorsunuz. Sevebileceğiniz her şeyi sevin. Sevebileceğiniz herkesi sevin. Yalnızca sevdiğiniz şeylere odaklanın, sevgiyi hissedin; o sevginin ve mutluluğun size geri geleceğini göreceksiniz. Katlanmış olarak! Çekim yasası size seveceğiniz şeyleri çoğaltarak göndermek zorunda. Sevgi ışınları yaydığınızda, Evren'in tamamı sizin iyiliğiniz için her şeyi yapıyor, bütün keyifli şeyleri, iyi insanları sizin için harekete geçiriyormuş gibi hissedersiniz. Aslında bu doğrudur.

- *Bir ilişkiyi kendinize çekmek istediğinizde, düşünceleriniz, sözleriniz, davranışlarınız ve yaşadığınız mekanın bu arzunuzla çelişmediğinden emin olun.*

- *Kendinizden siz sorumlusunuz. Önce kendinizi donatmadığınız sürece, başkalarına verecek bir şeyiniz olmaz.*

- *Kendinizi sevip sayın. Sizi sevip sayacak insanları kendinize çekmenizin yolu budur.*

- *Kendinizi kötü hissettiğinizde, sevginin size ulaşmasını engellemekle kalmıyor, size kendinizi kötü hissettirecek insanları ve durumları da daha fazla kendinize çekiyorsunuz.*

- *Kendinizde beğendiğiniz özelliklerinize odaklandığınızda, çekim yasası sizinle ilgili bu güzellikleri size artırarak geri gönderecektir.*

- *Bir ilişkiyi yürütebilmek için, o ilişkinin diğer öznesine dair yakınmalarınıza değil, onun takdir ettiğiniz yönlerine odaklanın. Bu güçlendirici unsurlara odaklandığınızda, onlar çoğalarak size geri gelecekler.*

Sağlığın Sırrı

DR. JOHN HAGELIN

KUANTUM FİZİKÇİSİ VE KAMU POLİTİKASI UZMANI

Bedenimiz aslında düşüncelerimizin ürünüdür. Duygu ve düşüncelerimizin doğasının, bedenimize ait fiziksel oluşumun, onun yapısı ve işleyişi üzerinde ne derece etkili olduğunu tıp alanındaki uygulamalarda da görmeye başladık.

DR. JOHN DEMARTINI

Placebo'nun şifacılık sanatındaki etkisini görmüştük. Placebo, aslında vücut üzerinde hiçbir etki yaratmayacak şekilde tasarlanmış şeker drajesi gibi bir haptır.

Hastaya Placebo'nun etkili bir ilaç olduğunu söylersiniz ve Placebo hastalık için üretilmiş gerçek ilaç kadar, hatta bazen daha bile etkili olur. Şifacılık uygulamaları bize, insan zihninin bazen ilaçlardan daha etkili bir faktör olduğunu göstermiştir.

"Sır"rın önemini fark ettikçe, sağlık konusu da dahil olmak üzere insanlığı ilgilendiren belirli hakikatleri daha net görmeye başlarsınız. Placebo etkisi güçlü bir olgudur. Hastalar söz konusu tabletin kendilerini iyileştireceğini düşünüp, buna gerçekten inandıklarında, bu inançlarının karşılığını alarak iyileşirler.

DR. JOHN DEMARTINI

Bir hastalığı olan bir insan, zihninde bu hastalığı yaratan faktörleri bulmaya çalışmayı ilaç kullanmaya karşı alternatif bir tedavi olarak gördüğünde, hastalığı akut bir hastalıksa, bu davranışıyla kendi ölümüne yol açabilir. Dolayısıyla, hastaların, bir yandan zihinlerinde bu konuyu keşfetmeye çalışırken, bir yandan da ilaç kullanmalarının uygulanacak en akıllıca tedavi yolu olduğu gün gibi açıktır. Bu yüzden, ilaçları reddetmeyin; iyileşmeniz üzerinde her tedavi kendi alanında etkili olacaktır.

Zihinsel güç aracılığıyla tedavi, ilaçla tedavi ile uyum içinde yürütülebilir. Ağrı sızı olduğunda, ilaçlar ağrıyı ortadan kaldırmaya yardımcı olurken hasta, sağlığına daha etkili bir güçle odaklanmayı başarabilir. "Mükemmel sağlığı düşünmek" insanların, etrafta olan bitenden bağımsız olarak kendi özellerinde yapabilecekleri bir zihinsel aktivitedir.

LISA NICHOLS

Evren bolluk ve bereket konusunda bir şaheserdir. Kendinizi Evren'in bereketini duyumsamaya açtığınızda, onun size sunduğu mucizeler olan neşe ve mutlulukla birlikte sağlık, zenginlik ve iyilik gibi bütün olağanüstülükleri de yaşarsınız.

Olumsuz düşünceler yüzünden kendinizi ona kapattığınızda ise, sıkıntı, ağrı ve acıyı hissedersiniz; yaşadığınız her gün size, acılarla doluymuş gibi gelir.

DR. BEN JOHNSON
FİZİSYEN DOKTOR, YAZAR VE ENERJİ ŞİFACILIĞI UZMANI

Burada her gün binlerce farklı tanı ve hastalıkla karşı karşıya kalıyoruz. Bunlar birbiriyle hassas bağlantılar içeriyorlar. Hepsi de tek bir şeyin; stresin sonucu olarak ortaya çıkıyor. Zincire ve sisteme yeterince stres yüklediğinizde, halkalardan birinin kırılması kaçınılmaz oluyor.

Bütün stres bir tek olumsuz düşünceyle başlar. Kontrolden kaçan bir tek düşünceyi diğerleri izler ve sonunda stres oluşur. Stres sonuçken, neden olumsuz düşüncedir; ve her şey küçük bir olumsuz düşünceyle başlamıştır. Başınıza ne gelmiş olursa olsun, bunu değiştirebilirsiniz...bir küçük olumlu düşünceyle başlayıp, diğerleriyle devam ederek bunu başarabilirsiniz.

DR. JOHN DEMARTINI

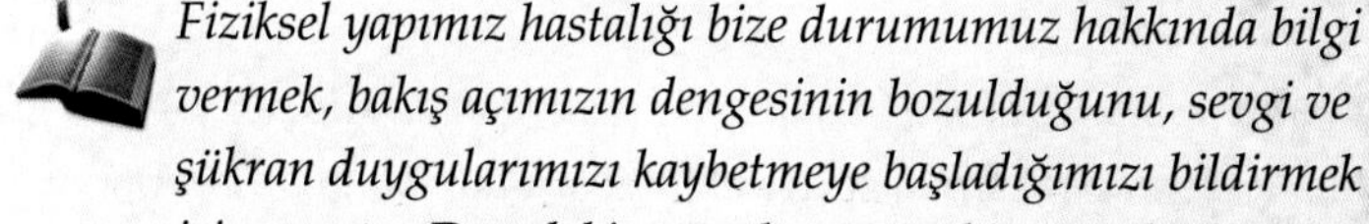

Fiziksel yapımız hastalığı bize durumumuz hakkında bilgi vermek, bakış açımızın dengesinin bozulduğunu, sevgi ve şükran duygularımızı kaybetmeye başladığımızı bildirmek için yaratır. Demek ki, vücudumuzun bize gönderdiği işaretler ve semptomlar o kadar da korkunç şeyler değillermiş.

Dr. Demartini bize, sevgi ve şükran duygusunun, yaşamlarımızdaki tüm olumsuzlukların, hangi biçime bürünmüş olurlarsa olsunlar, ortadan kaldırabileceğini söylüyor. Sevmek ve şükretmek denizleri ikiye ayırabilir, dağları yerinden oynatabilir, mucizeler yaratabilir. Sevgi ve Şükran tüm hastalıkları ortadan kaldırabilir.

MICHAEL BERNARD BECKWITH

Bana en sık sorulan soru; Birinin vücudunda bir hastalık baş gösterdiğinde veya hayatında bir sıkıntı yaşadığında, bu durum "doğru düşünerek" ters çevrilebilir mi? sorusudur; ve cevap, kesinlikle evettir.

Gülmek En İyi İlaçtır

CATHY GOODMAN:BİR KİŞİSEL ÖYKÜ

Göğsüme kanser teşhisi konduğunda, güçlü inancım ve tüm kalbimle şimdiden iyileşmiş olduğuma inandım. Her gün "İyileştiğim için şükürler olsun" diyordum. Buna günlerce ve günlerce devam ederek; iyileşmiş olduğuma tüm kalbimle inandım. Kanserin vücuduma hiçbir zaman uğramadığını düşündüm.

Kendimi iyileştirmek için yaptığım şeylerden biri de çok komik filmler izlemekti. Tüm yaptığımız gülmekten ibaretti, gülmek, gülmek ve gülmek. Herhangi bir stres kırıntısının hayatıma girmesine izin veremezdim, çünkü iyileşmeye çalışırken, en büyük zararın stresten geldiğini biliyordum.

Teşhis konulduktan yaklaşık üç ay sonra iyileştim, üstelik bu süre içinde herhangi bir ışın tedavisi ya da kemoterapi de görmedim.

Cathy Goodman'dan dinlediğimiz bu güzel ve etkileyici hikaye, bizi etkileyen üç faktörün nasıl işlediğini gösteriyor: Bunlar; iyileşmiş olduğuna şükretmenin etkisi, dileğinin yerine geldiğine inanmanın etkisi ve kahkaha ile neşenin vücudumuzdaki hastalıkları yok etmek üzerindeki etkisi.

Cathy, iyileşme sürecine gülmeyi dahil etmeye Norman Cousins'in hikayesini duyduktan sonra karar vermişti.

Norman'a "tedavisi mümkün olmayan" bir hastalık tanısı konulmuştu. Doktorlar sadece bir kaç aylık ömrü kaldığını söylediklerinde, Norman kendi kendisini iyileştirmeye karar verdi. Üç ay boyunca sadece komik filmler izledi ve güldü, güldü, güldü. Bu üç aylık süreç sonunda hastalığı geçti ve doktorlar bu iyileşmeyi mucize kabul ettiler.

Norman, güldükçe tüm olumsuzlukları üzerinden attı ve hastalıktan kurtuldu. Gülmek hakikaten en iyi ilaçtır.

Dr. Ben Johnson

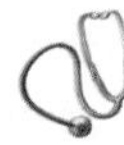

Hepimiz içimizde kurulu temel bir programla dünyaya geliyoruz. Buna "kendi kendini iyileştirme" deniyor. Yaralandığımızda yaralarımız kendiliğinden kapanıyor. Bakteriyel enfeksiyon geçirdiğimizde bağışıklık sistemimiz bakterilerle mücadele etmek için devreye giriyor ve bizi iyileştiriyor. Bağışıklık sistemi kendi kendisini iyileştirmek için tasarlanmıştır.

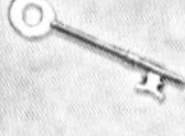

BOB PROCTOR

Duygusal açıdan sağlıklı bir vücutta hastalık barınamaz. Vücudunuz her saniye milyonlarca hücreyi yeniler ve aynı zamanda milyonlarca yeni hücre üretir.

DR. JOHN HAGELIN

Aslında vücudumuzun bazı kısımları her gün yenileriyle değiştirilir. Bazı kısımların yenilenmesi bir kaç ay, bazılarınınki ise bir kaç yıl sürse de, birkaç yıl içinde hepimizin vücudu tamamen yenilenmiş olur.

Bütün vücudumuzun bir kaç yıl içinde yenilendiği düşünülürse ki, bilim bunu ispat etmiştir, bir bozukluk ya da hastalık nasıl olur da yıllarca vücudumuzda varlığını sürdürebilir? Hastalığın orada kalmasının tek sebebi bizim onu düşünmemiz, sürekli hastalığı gözlemleyerek, dikkatimizi hastalığa vermemizdir.

Kusursuzluk Düşüncesini Düşünmek

Kusursuzluk düşüncesini düşünün. Hastalık uyumlu düşüncelere sahip bir vücutta varlığını sürdüremez. Sadece kusursuzluğun varolduğunu bilin; kusursuzluğu gözlemledikçe onu kendinize çağıracaksınız. İnsanlığın karşılaştığı tüm kötülüklerin, hastalıkların fakirliğin ve mutsuzluğun nedeni, kusurlu düşüncelerdir. Olumsuz düşüncelere kapıldığımızda, doğuştan kazanılmış haklarımızla bağlarımızı koparmış oluruz. "Kusursuzluğu düşünüyorum. Sadece kusursuzluğu görüyorum. Ben kusursuzum" diyerek, buna niyet edin.

Her türlü kas tutulmasını ve katılaşmayı bedenimden uzaklaştırdım. Vücudumun tıpkı bir çocuğunki gibi esnek ve mükemmel olduğunu düşünmeye yoğunlaştım ve tüm tutulmalarımla eklem ağrılarım geçti. Bunu kelimenin tam anlamıyla bir gecede başardım.

Yağlanmaya ilişkin bütün o inanışların zihnimizde ne kadar etkin olduklarını görebilirsiniz. Bilim vücudumuzun çok kısa süre içinde baştan aşağıya yenilendiğini söylüyor. Yağlanma sınırlı bir kavramdır, öyleyse bilincinizden bu düşünceleri uzaklaştırın ve zihninizde kaç tane doğum günü sayabildiğinize aldırmadan, vücudunuzun sadece bir kaç aylık olduğunu düşünün. Bir dahaki doğum gününüzde kendinize bir iyilik yapın ve onu ilk doğum gününüzmüş gibi kutlayın! Yağlanmayı kendinize çağırmak istemiyorsanız doğum günü pastanızın üzerini altmış tane mumla kaplamayın. Ne yazık ki, Batı toplumları yağ konusuna takılıp kalmış, aslında böyle bir şey yok.

Mükemmel bir sağlığa, mükemmel bir vücuda, mükemmel kiloya ve sonsuz gençliğe ulaşacak şekilde düşünebilirsiniz. Sürekli mükemmelliği düşünerek bunu gerçekleştirebilirsiniz.

BOB PROCTOR

Bir hastalığınız olduğunda, dikkatinizi hep bu hastalığa yöneltip, insanlara bundan bahsederseniz, bunun sonucunda daha fazla hastalıklı hücre yaratırsınız. Mükemmel sağlıklı bir bedenin içinde yaşadığınızı düşünün. Bırakın hastalıklarla doktorlar ilgilensin.

Hastalığı olan insanların çok sık yaptığı şeylerden bir de devamlı hastalıktan bahsedip durmaktır. Bunun sebebi, sürekli hastalığı düşünmeleridir, gerisi sadece düşünceleri söze dökmekten ibarettir. Kendinizi bir parça kötü hissettiğinizde, bundan bahsetmeyin; sıkıntınızın artmasını istemiyorsanız tabii. Bu durumdan, düşünme biçiminizin sorumlu olduğunu bilin ve elinizden geldiği kadar çok; "Kendimi harika hissediyorum. O kadar iyiyim ki" deyin ve bunu hissedin. Birisi size nasıl olduğunuzu sorduğunda kendinizi harika hissetmiyorsanız bile, kendinizi iyi hissetme düşüncesini aklınıza getirdiği için ona teşekkür edin ve cevap olarak; nasıl olmak istiyorsanız onu söyleyin.

Yapabileceğinizi düşünmediğiniz hiçbir şeyi "yakalayamazsınız". Bir başarıyı elde edebileceğinizi düşünmek, o başarıyı düşüncenizle kendinize çağırmanız demektir. Bunun gibi, hastalıklarından bahseden insanları dinlediğinizde, siz de hastalığı davet edersiniz. Onları dinlerken, hastalığa odaklanıp, bu konuyu dikkatle düşündüğünüz için, onu talep edip çağırmış olursunuz. Üstelik, bu şekilde hastaya kesinlikle yardımcı olamadığınız gibi, bir de hastalığının ilerlemesi yönünde enerji vermiş olursunuz. Bu durumdaki birine gerçekten yardımcı olmak istiyorsanız, sohbet konusunu elinizden geldiğince iyi şeylere yöneltin ya da kendi yolunuza gidin. Oradan uzaklaşırken ise, o insanı sağlıklı bir biçimde zihninizde canlandırmak, bunu düşünüp hissetmek için tüm enerjinizi verin ve gerisini akışa bırakın.

LISA NICHOLS

Gelin, ikisi de aynı hastalık nedeniyle sorun yaşayan iki kişi olduğunu düşünelim, bunlardan biri mutluluğa odaklanmayı seçmiş olsun. Bu insan, neşeli olması ve şükretmesine dair sebeplere odaklanarak umut içinde, olanakları düşünerek yaşasın. Aynı tanıya sahip diğeri ise, hastalığa, ağrıya ve "dertler beni bulur" düşüncesine odaklanmayı seçmiş olsun.

Bob Doyle

İnsanlar kendilerini yalnızca aksaklıklara ve bunların belirtilerine odakladıklarında, yaptıkları şey onları kalıcı kılmaktan ibaret olur. İnsanlar dikkatlerini hastalıktan sağlığa doğru yönlendirmedikleri sürece iyileşemezler; çünkü, çekim yasası bunu gerektirir.

> "Unutmayın ki, hoş olmayan her düşünce, bir kötülüğü kelimenin tam anlamıyla vücuda getirir".
>
> Prentice Mulford

Dr. John Hagelin

Keyifli şeyler düşünmek, insanı daha çok mutluluk veren bir biyokimyasal yapıya, daha mutlu ve daha sağlıklı bir bedene doğru götürür. Olumsuz düşünceler ve stresin insan bedenine ve beyin fonksiyonlarına ciddi zararlar verdiği ispatlanmıştır. Bunun nedeni, duygu ve düşüncelerimizin sürekli bir araya gelip, yeniden organize olarak, bedenimizi baştan yaratmalarıdır.

Bedeninizin içinde ya da dışında, ne tür bir sıkıntıyla karşılaşmış olursanız olun, bu durumu değiştirebilirsiniz. Size mutluluk veren konular düşünmeye ve mutlu olmaya başlayın. Mutluluk varoluşa dair bir duygudur. Parmağınız "Mutlu hissetme" düğmesinin üzerinde duruyor. Düğmeye hemen basın ve çevrenizde olan bitene bakmadan parmağınızı orada basılı tutun.

Dr. Ben Johnson

Fizyolojik stresi vücudunuzdan atın ki, vücudunuz tasarlandığı gibi işlemeye başlasın ve kendi kendisini iyileştirsin.

Hastalığın üstesinden gelmek için savaşmanız gerekmez. Sadece olumsuz düşünceleri uzaklaştırmak gibi basit bir süreç bile, normal sağlık durumunuza geri dönmenizi sağlar ve bedeniniz kendi kendisini iyileştirir.

MICHAEL BERNARD BECKWITH

Kendi kendine iyileşen böbrekler, yok olan kanserler gördüm. Görme yeteneğinin arttığına ve geri kazanıldığına da şahit oldum.

"Sır"rı keşfetmeden üç yıl kadar önce okuma gözlüğü kullanıyordum. Bir gece, çağlar boyu geri giderek, "Sır"rın izini sürerken, okuduğum şeyi görmek için gözlüğüme uzandığımı fark ettim. O an öylece kalakaldım. Yaptığım şeyin gerçekliğini kavradığımda yıldırım çarpmış gibi oldum.

Yaşla birlikte görme yeteneğinin azaldığına dair mesajları toplumdan almış; bir şeyleri okuyabilmek için kollarını ileri doğru uzatan insanlar görmüştüm. Düşüncemi görme yetisinin yaşla birlikte azaldığı düşüncesine yoğunlaştırdığımdan, bu durumu kendime ben çağırmıştım. Bilerek yapmamakla birlikte yapmıştım. Düşüncelerimle varolmaya çağırdığım bir şeyi değiştirebileceğimi bildiğim için, hemen yirmi bir yaşındayken ne kadar net görüyorsam şimdi de o kadar net görüyor olduğumu imgelemeye başladım. Kendimi loş restoranlarda, uçakta, bilgisayarımın başında kolayca ve gayet net okurken düşledim ve defalarca; "Gayet net görebiliyorum. Gayet net görebiliyorum" dedim. Berrak bir görüşe sahip olmaktan dolayı heyecan duyup, buna şükrettim. Üç gün içinde görme yeteneğim yenilendi ve artık okuma gözlüğü kullanmadan gayet net görebiliyorum.

"Sır"rın öğretmenlerinden biri olan Dr. Ben Johnson'a olanları anlattığımda bana; "O üç gün içinde gözlerinin kendi kendini geliştirmesi için ne yaptığını biliyor musun? diye sordu. "Hayır, Tanrı'ya şükür bunun nasıl olduğunu bilmiyorum. Demek ki, öyle bir düşüncem yoktu! Bildiğim tek şey, bunu yapabilecek olduğumdu; belki de o yüzden böyle çabuk başarabildim" dedim. (Bazen fazla bir şey bilmemek daha iyidir!)

Dr Johnson "tedavi edilemez" denilen bir hastalığı bedeninden atmayı başarmıştı, bu yüzden, onun gerçekleştirdiği bu mucizevi hikayeye kıyasla benim görme yeteneğimi tam olarak kazanmam bana pek de önemli bir şey gibi gelmedi. Aslında, görme yeteneğimin bir gecede eski haline geleceğini ummuştum, yani bana göre üç gün bir mucize değildi. Unutmayın Evren'de zaman ve boyut yoktur. Bu yüzden, bir hastalığı iyileştirmek de, bir sivilceyi iyileştirmek kadar kolaydır. Süreç her ikisi için de aynı olmasına rağmen, farkı yaratan bizim zihnimizdir. Böylece herhangi bir sıkıntıyı kendinize çektiğinizde, onu beyninizde bir sivilce boyutuna indirin, tüm olumsuz düşünceleri kafanızdan atın ve sağlığın mükemmelliğine odaklanın.

İyileşmeyecek Hastalık Yoktur

DR. JOHN DEMARTINI

Her zaman tedavi edilemez sözlerinin aslında; " içeriden tedavi edilir" anlamına geldiğini söylerim.

İnanıyor ve biliyorum ki, iyileşmeyecek bir şey yoktur. Zaman içinde belli bir noktada, sözde tedavi edilemeyen her hastalığın tedavisi mümkün olmuştur. Zihnimde ve kendim için yarattığım dünyada "iyileşmez" diye bir şey yok. Bu dünyada size de yer var, öyleyse siz de bana ve buradaki herkese katılın. Burada "mucizeler", sıradan günlük olaylara dönüşür. Burası, şu an içinizde varolan bütün iyi şeylerin, bolluk ve bereketle dolup taştığı yerdir. Sanki cennet değil mi? Evet öyle.

MICHAEL BERNARD BECKWITH

Hayatınızı değiştirebilir, kendi kendinizi iyileştirebilirsiniz.

MORRIS GOODMAN

YAZAR VE ULUSLARARASI KONUŞMACI

Hikayem 10 Mart 1981 tarihinde başlıyor. O gün gerçekten hayatım değişti. Asla unutmayacağım bir gündü. Uçak kazası geçirmiş ve tamamen felç olmuş bir vaziyette hastaneye yatırılmıştım. Omuriliğim ezilmiş, birinci ve ikinci boyun omurlarım kırılmıştı. Yutma refleksim yok olduğundan bir şey yiyip içemiyor, diyaframım zedelendiğinden nefes alıp veremiyordum. Yapabildiğim tek şey gözlerimi kırpmaktı. Doktorlar ömrümün geri kalanını bitkisel hayatta geçireceğimi söylediler tabii. Bundan sonra yapabileceğim tek şey gözlerimi kırpmak olacaktı. Bana baktıklarında gördükleri tablo bu olmasına rağmen onların ne düşündüğünün bir önemi yoktu. Asıl önemli olan, benim ne düşündüğümdü. Kendimi yeniden normal bir insan gibi o hastaneden çıkıp giderken hayal ettim.

Hastanede yatarken yapabileceğim tek şey zihnimi çalıştırmaktı ve şuurunuz yerinde olduktan sonra, gerisini tekrar eski haline getirebilirsiniz.

Solunum cihazına bağlı yaşıyordum. Doktorlar diyaframım parçalandığı için bir daha asla kendi kendime nefes alamayacağımı söylemişlerdi ama, içimdeki küçük bir ses bana "derin nefes al, derin nefes al" diyordu. Sonunda solunum cihazından çıkarıldım. Doktorlar bu duruma bir açıklama getiremediler. Bense, beni amacımdan ya da zihnimde canlandırdığım görüntüden uzaklaştıracak herhangi bir şeyin aklıma girip, dikkatimi dağıtmasına izin veremezdim.

Noel'de hastaneden yürüyerek çıkmayı kendime hedef koymuştum ve bunu başardım. Kendi iki ayağım üzerinde yürüyerek hastaneden çıktım. Bunun olamayacağını söylemişlerdi. O günü asla unutmayacağım.

Şu an dışarıda bulunan ve acı çeken insanları düşünerek hayat hikayemi özetlemem ve onlara hayatta neler yapabileceklerini kısaca anlatmam gerekseydi, her şeyi dört sözcükte toplayarak özetlerdim "insan düşündüğü şey olur."

Morris Goodman, Mucize Adam olarak tanınır. Hikayesine "Sır"da yer verilmesinin sebebi, insan zihninin akıl sır ermez gücünü ve sınırsız potansiyelini insanlığa göstermiş olmasıdır. Morris, üzerinde düşünmeyi seçtiği şeyi ona getirecek güce sahip olduğunu biliyordu. Hayatta her şey mümkündür. Morris Goodman hikayesiyle binlerce insanı düşünmeleri, hayal etmeleri ve sağlıklarını yeniden kazanacaklarını hissetmeleri konusunda yüreklendirdi. O hayatının en büyük mücadelesini, çok büyük bir armağana dönüştürmeyi başardı.

"Sır" kitabı çıktıktan sonra, onu seyreden insanların vücutlarını saran hastalıklardan kurtulmalarını anlatan mucizevi hikayeler sel gibi akarak bize ulaşmaya başladı. İnandığınız zaman, her şey mümkün olur.

Şimdi sizi Dr. Ben Johnson'ın sağlık konusundaki aydınlatıcı görüşleriyle başbaşa bırakıyorum:" Artık enerji tıbbı diye adlandırdığımız bir çağa giriyoruz. Evren'deki her şeyin bir frekansı var ve sizin yapmanız gereken tek şey frekans değiştirmek ya da karşıt frekansı ortaya çıkarmaktır. Bu şekilde dünyadaki her şeyi değiştirmek kolaydır, ister hastalık, ister duygusal konular olsun , aklınıza ne gelirse. Bu çok büyük bir şey. Şimdiye kadar karşı karşıya kaldığımız en büyük şey budur."

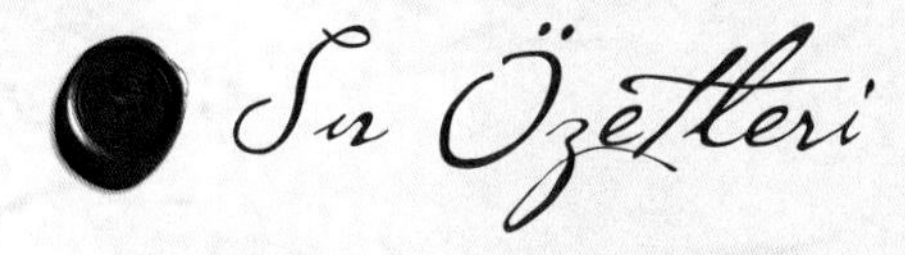

- *Placebo etkisi çekim yasasının işleyişine ilişkin bir örnektir. Hasta, tabletin tedavi edici olduğuna gerçekten inandığında, inandığı şeyi elde eder ve iyileşir.*

- *"Mükemmel sağlığa odaklanmak" dışarıda başımıza gelebileceklere rağmen hepimizin kendi içimizde yapacağı bir şeydir.*

- *Kahkaha, neşeyi çekerek olumsuzluğu uzaklaştırır ve mucizevi iyileşmeler getirir.*

- *İllet, düşünce yoluyla, hastalığın gözlenmesi ve önemsenmesi yüzünden vücuda yerleşir. Kendinizi biraz kötü hissettiğinizde daha fazla rahatsızlanmak istemiyorsanız bu konu hakkında konuşmayın. Hastalıklarından bahseden insanları dinlerseniz, hastalıklarına biraz daha enerji yüklemiş olursunuz. Bu yüzden, böyle durumlarda konuyu değiştirerek güzel şeylerden bahsedin ve söz konusu insanların sağlıklı olduklarını imgeleyerek onlara güç verin.*

- *Yaşlanmaya dair tüm inanışlar bizim zihnimizden kaynaklanır, bu yüzden bu düşünceleri bilincinizden atarak ebedi gençlik ve sağlık üzerinde yoğunlaşın.*

- *Toplumun hastalık ve yaşlanma konusunda verdiği mesajları dinlemeyin. Olumsuz mesajların size bir yararı yoktur..*

INTELLECTUAL
CIVIC

Dünyanın Sırrı

Lisa Nichols

İnsanlar genellikle beğendikleri nesnelere bakıp; "Evet, bunu beğendim, bunu istiyorum" deme eğilimindedirler; ama, beğenmedikleri şeylere bakarken de, onları yok etmek, ortadan kaldırmak, silmek için, daha fazla değilse bile, en azından aynı enerjiyi harcarlar. Yaşadığımız toplumda insanlar, bir şeylere karşı savaşmaktan hoşlanır oldular. Kansere karşı savaşmak, yoksulluğa karşı savaşmak, savaşa karşı savaşmak, uyuşturucuya karşı savaşmak, terörizme karşı savaşmak, şiddete karşı savaşmak. İstemediğimiz her şeye karşı savaşma eğilimindeyiz ve bu da aslında savaşacağımız konuları artırıyor.

Hale Dwoskin

Öğretmen ve Sedona Yöntemi'nin Yazarı

Odaklandığımız her şeyi hayata geçiriyoruz. Örneğin; süregelen bir savaşa ya da kavgaya, güçlüğe karşı gerçekten öfkeliysek, duruma kendi enerjimizi de eklemiş oluyoruz. Kendimizi zorlamamız, yalnızca direnç yaratmamıza neden oluyor.

"Neye karşı koyarsan,o ısrarla olmaya devam eder"

Carl Jung (1875–1961)

BOB DOYLE

Karşı koyduğumuz şeylerin ısrarla olmasının nedeni, bir şeye direndiğimiz zaman; "Hayır ben bunu istemiyorum; çünkü, şimdi hissettiklerimi hissetmeme neden oluyor" dersiniz. Böylece, gerçekten güçlü bir; "Bu histen hakikaten hiç hoşlanmıyorum" duygusu ortaya koymuş oluyorsunuz ve o da size doğru koşarak geliyor.

Herhangi bir şeye direnmek, yayınlanmış görüntüleri değiştirmeye çalışmaya benzer. Boş yere uğraşmış olursunuz. Asıl yapmanız gereken, duygu ve düşüncelerinizle yeni sinyaller göndererek, yeni görüntüler oluşturmak için kolları sıvamaktır.

Görünene direndiğinizde, hoşlanmadığınız bu görüntülere biraz daha enerji ve güç katmış oluyor, daha da çoğalıp güçlenerek geri gelmelerini sağlıyorsunuz. Sadece sonuç ve koşullar büyüyebilir, çünkü Evren'in yasası böyledir.

JACK CANFIELD

Savaş karşıtı eylemler daha çok savaş getirir. Uyuşturucu karşıtı faaliyetler de aslında uyuşturucuyu yaygınlaştırıyor; çünkü istemediğimiz bir şeye odaklanıyoruz: uyuşturucuya!

Lisa Nichols

İnsanlar, bir şeyleri gerçekten ortadan kaldırmak istiyorsak ona odaklanmamız gerektiğini sanıyorlar. Güven, sevgi, bolluk içinde yaşamak, eğitim veya barış gibi konulara odaklanmak yerine, tüm enerjimizi bunlara ters düşen bir soruna vermek size anlamlı geliyor mu?

Jack Canfield

Rahibe Teresa çok zeki bir insandı; "Savaş karşıtı bir toplantıya asla katılmayacağım; beni, barışa dair toplandığınızda davet edin" demişti. Biliyordu. "Sır"rı çözmüştü. Dünya üzerinde gerçekleştirdiklerine baktığımızda bunu görebiliyoruz.

Hale Dwoskin

Savaş karşıtıysanız, bundan vazgeçerek barış yanlısı olun. Açlığa karşıysanız da, insanların tüketebileceklerinden fazla yiyecek bulmalarından yana olun. Bir politikacıya karşı olduğunuzda ise, onun rakibini destekleyin. Seçimler genellikle insanların karşı çıktığı politikacının lehine sonuçlanır, çünkü o, odak noktası olmuş ve bütün enerjiyi çekmiştir.

Dünyadaki her şey tek bir düşünceyle başladı. Büyük şeyler daha da büyür, çünkü, bir kez ortaya çıktıktan sonra daha çok insan tarafından düşünülürler. Sonra bu düşünceler ve duygular, söz konusu sonucu hayatımızda tutarak daha da büyümesini sağlarlar. Zihinlerimizi o düşüncelerden uzaklaştırır, sevgiye odaklarsak, öyle bir sonuç ortaya çıkamaz; buharlaşıp, kaybolur.

" Akılda tutmak, kavraması en zor, aynı zamanda da en harika saptamalardan biridir. Unutmayın ki, söz konusu sıkıntı, nasıl bir sıkıntı olursa olsun, nerede ve kimi etkilerse etkilesin, kendinizden başka hastanız yok; ve olmasını arzuladığınız şeyin gerçek olduğuna kendinizi inandırmaktan başka bir şey yapmanız gerekmiyor."

Charles Haanel

JACK CANFIELD

Olmasını istemediğiniz şeyleri belirtmeniz normal, tamam; çünkü, bu, "İstediğim şey şu" demenin tersi; ama, burada başka bir olgu daha var; siz istemediklerinizden konuştukça, bunların ne kadar kötü olduklarını anlattıkça, sürekli bunlara dair konularda yazılar okudukça, sonra da korkunç olduklarını söyledikçe, aslında onları çoğaltıyor, yenilerini yaratıyorsunuz.

İstemediğiniz bir şeye dair görüntüler ortaya çıktığında, düşüncenizi değiştirerek yeni bir sinyal yaymak size bağlı. Sorun bir dünya meselesiyse, güçsüz değilsiniz. Bütün güç sizde. Mutlu insanlara, yiyecek bolluğuna odaklanın. Baskın düşüncelerinizi istenenler üzerinde yoğunlaştırın. Çevrenizde olan bitene rağmen, sevgi ve iyilik duyguları yayarak, dünyaya çok şey verecek yetenektesiniz.

JAMES RAY

Çoğu zaman insanlar bana; "James, bunları öğrenmek zorundayım" derler. Belki bunları öğrenmek zorundasınız ama, boğulmanız gerekmez.

"Sır"rı keşfettiğim zaman bir karar verdim; artık televizyonda haber izlemeyecek, gazete okumayacaktım, çünkü bunlar beni mutsuz ediyordu. Haber programlarını ve gazeteleri, kötü haber verdikleri için suçlamak gerekmiyor. Evrensel bir topluluk olarak, bundan bizler sorumluyuz. Manşette kocaman bir dram olduğunda daha çok gazete satın alıyoruz. Ulusal ya da uluslararası bir felaket yaşandığında, haber kanallarının izlenme oranları tavan yapıyor. Böylece, gazete ve televizyon haber servisleri, bize daha çok kötü haber sunuyor, çünkü toplum olarak onlara bunu istediğimizi biz söylüyoruz. Medya sonuç, neden ise bizleriz. Çekim yasası faaliyette!

Bizler istediğimiz şeylere odaklanıp, onlara yeni sinyaller gönderdikçe, haber programları ve gazeteler, bize sundukları haberleri değiştirecekler.

MICHAEL BERNARD BECKWITH

Sakinleşmeyi ve dikkatinizi istemediğiniz konular üzerinden çekmeyi öğrenin. Tüm duygusal enerjinizi ve dikkatinizi, yaşamak istediklerinize yöneltin...Enerji dikkatin bulunduğu yere doğru akar.

> " Doğru düşünün; düşünceler dünyadaki açlığı doyuracaktır."
>
> Horatio Bonar (1808–1889)

Bu dünya üzerinde, sadece varoluşunuzdan gelen, olağanüstü bir güce sahip olduğunuzu anlamaya başlıyor musunuz? İyi şeylere odaklandığınızda, kendinizi iyi hisseder, iyilikleri çoğaltarak dünyaya, aynı zamanda da kendi hayatınıza katarsınız. Mutlu olduğunuzda, hem kendi hayatınızı, hem de dünyayı coşturursunuz.

Yasa işleyişte mükemmelliktir.

DR. JOHN DEMARTINI

Her zaman söylediğim bir şey var; içinizdeki ses ve vizyon derinleşip netleşerek, dıştan gelen yargıları bastırdığında, hayatınıza egemen olmuşsunuz demektir!

LISA NICHOLS

Dünyayı ya da çevrenizdeki insanları değiştirmek sizin işiniz değil; sizin işiniz Evren'e ayak uydurmak ve bunu yaşadığınız dünya içinde kutlamak.

Siz yaşamınızın efendisisiniz; Evren ise, tüm buyruklarınızı yerine getiriyor. Ortaya çıkan görüntüler sizin istediklerinizden farklıysa, buna şaşıp kalmayarak, sorumluluğu üstlenin, onları önemsememeye çalışın ve unutun gitsin. Sonra, gerçekleşmesini istediğiniz yeni şeyler düşünerek, onları hissedin ve yerine getirildikleri için şükredin.

Evren Bolluk İçindedir

DR. JOE VITALE

Bana sürekli şunlar soruluyor; "İnsanların tamamı 'Sır'rı uygular, Evren'i katalog gibi kullanırsa, malzemeyi tüketmiş olmayacak mıyız? Herkes fırlayıp bankaya saldırmayacak mı?

MICHAEL BERNARD BECKWITH

"Sır" öğretisine dair güzel olan şey; bütün insanlara yetip de artmasıdır.

Virüs gibi yayılarak insanların zihinlerine giren bir yalan var. Bu yalan; "dünyada herkese yetecek kadar iyilik olmadığı, eksiklik, sınırlama, yetersizlik olduğu"dur. Bu yalan yüzünden, korku içinde yaşayan ve bunları yaşantıları haline getiren açgözlü ve cimri insanlar var. Dünya sanki karabasan haplarından bir tane yutmuş gibi.

Hakikat,iyiliğin insanların ihtiyaç duyduğundan da fazla olduğudur. Gerekenden daha fazla yaratıcı düşünce, gerekenden daha fazla güç, gerekenden daha fazla sevgi, gerekenden daha fazla mutluluk var. Bütün bunlar, sınırsız doğasını fark eden bir beyin sayesinde ortaya çıkmaya başladı.

Kaynakların yetersiz olduğunu düşünmek, dış görüntüye bakıp, her şeyin dışardan geldiğini düşünmektir. Böyle yaptığınızda, göreceğiniz en kesin şey, yetersizlik ve sınırlama olacaktır. Artık, varolan hiçbir şeyin dışardan gelmediğini, her şeyin önce içerden düşünmek ve hissetmekle oluşturulduğunu biliyorsunuz. Beyniniz yaşanan her şeyi oluşturan güçtür. Durum böyleyken nasıl olur da bir şeyler eksik olabilir? Bu imkansız. Düşünme yeteneğiniz sınırsız olduğuna göre, düşünerek yaşama taşıyabilecekleriniz de sınırsızdır ve bu herkes için geçerlidir. Bunu gerçekten kavradığınızda, kendi sınırsız doğasının farkında olan bir beyinle düşünüyor olacaksınız.

JAMES RAY

Bu gezegenden geçmiş bütün büyük öğretmenler, hayatın bolluk demek olduğunu söylemişler.

> "Bu yasanın özü, bolluk düşünmeniz, bolluk görmeniz, bolluk hissetmeniz, bolluğa inanmanızdır. Herhangi bir sınırlama düşüncesinin beyninize girmesine izin vermeyin."
>
> Robert Collier

JOHN ASSARAF

Bu yüzden, kaynakların azaldığını düşündüğünüzde, aynı işi gören yeni kaynaklar bulabilirsiniz.

Belize petrol ekibinin yaşanmış öyküsü, insan beyninin yeni kaynaklar doğurma gücüne dair yol gösterici bir örnektir. Belize Natural Energy Limited (Belize Doğal Enerji Ltd. Şirketi) yöneticileri, Hümanistik Fizyoloji eğitimi uzmanı sayın Dr.Tony Quinn'den eğitim almışlardı. Bu yöneticiler, Dr.Quinn'in zihin gücü eğitimi sayesinde, Belize'nin başarılı bir petrol üretim bölgesi olmasına dair ortak imgelerinin hayata geçeceğine inandılar. Cesur bir adım atarak "Spanish Lookout" (İspanyol Petrol Arama) için araştırma yapmaya başladılar. Bir sene gibi kısa bir süre içinde, rüyaları ve vizyonları gerçek oldu. Diğer elli şirket hiçbir kaynak bulamazken Belize Natural Energy Limited Şirketi zengin kaynaklardan gelen en kaliteli petrolü bulmayı başarmıştı. Belize, olağanüstü insanlardan oluşan bir ekibin beyinlerinin sınırsız gücüne inanmaları sayesinde petrol üreten bir bölge olmayı başardı.

Ne kaynaklar ne de başka şeyler için; hiçbir şeye sınır yok. Sınırlayan tek şey insan beyni. Beyinlerimizi sınırsız yaratıcı güce açtığımızda, bereketi ortaya çıkararak, yepyeni bir dünyayı görüp yaşarız.

DR. JOHN DEMARTINI

Eksikliklerimiz olduğunu söyleriz; çünkü görüş gücümüzü açarak, çevremizdekileri görmeyiz.

DR. JOE VITALE

İnsanlar yürekleriyle yaşamaya başlayarak, arzularının peşinden gittiklerinde, aynı hedeflere yönelmezler. Bunun güzelliği de buradadır. Hepimiz birer BMW istemeyiz; Hepimiz aynı insanı da istemeyiz; aynı deneyimleri yaşamak da, aynı kıyafetleri giymek de, aynı ..... de istemeyiz. (Boşluğu siz dolduracaksınız).

Bu görkemli gezegende, size bağışlanmış olan bu olağanüstü yaşamınızı oluşturma gücüyle yaşıyorsunuz! Kendiniz için oluşturabileceklerinizin bir sınırı yok, çünkü sınırsız bir düşünme yeteneğine sahipsiniz! Yine de, başka hayatlar için bir şeyler oluşturmanız mümkün değil; çünkü onların yerine düşünemezsiniz. Düşüncelerinizi başkaları için bir şeyler oluşturmaya zorladığınızda, elde edeceğiniz sonuç, benzer olayları "Kendinize" çağırmak olacaktır. Bu yüzden, bırakın onlar da, kendileri için kendi istedikleri hayatları yaratsınlar.

MICHAEL BERNARD BECKWITH

Herkese yetecek kadar çok var. Buna inanır, bunu anlar, buna göre davranırsanız, Evren size bunu ispatlayacaktır. Gerçek budur.

> Herhangi bir eksiğiniz varsa, yoksulluk ya da felaket kurbanıysanız, bu, gücün sizde olduğuna inanıp, bunu anlamamış olduğunuzdandır. Bu durum Evrensel bağıştan kaynaklanmaz, o herkese her şeyi verir, ayrıcalık yapmaz."
>
> Robert Collier

Evren, çekim yasası aracılığıyla herkese, her şeyi sunar. Neyi yaşamak istediğinizi seçme yeteneğiniz var. Size ve başka herkese yetecek kadar bereket olmasını mı istiyorsunuz? Öyleyse bunu seçin ve bilin ki, "Her konuda bolluk var" , "Arz sınırsız", "İhtişam çok fazla". Her birimiz, duygu ve düşüncelerimizi kullanarak, o sınırsız görünmez arza hafifçe dokunarak, onu yaşantımıza katma kabiliyetine sahibiz. Bu yüzden kendiniz için bir seçim yapın, çünkü Siz bunu yapabilecek tek kişisiniz.

LISA NICHOLS

İstediğiniz her şey, bütün o mutluluk, sevgi, başarı, sevinç, orada, dokunabileceğiniz bir uzaklıkta hazır bekliyor. Yapmanız gereken şey bilgilerinizin ışığında hareket etmek. Bu bilince vardığınızda ve isteğinize tutkuyla bağlandığınızda, Evren size istemiş olduğunuz bütün nesneleri tek tek verir. Çevrenizdeki güzellikleri ve harikalıkları fark ederek, onları kutsayıp değerlerini bilin. Öte yandan, istediğiniz gibi gitmeyen işleri kınayıp, onlardan yakınmakla uğraşarak enerji harcamayın. Ulaşmak istediklerinizin tümünü kucaklayın ki, daha fazlasını alabilesiniz.

Lisa'nın bilgece sözleri, çevrenizdekilerin "değerini bilmek, ve onları kutsamak" ağırlığınca altın eder. Hayatınızdaki her şeyin değerini bilin ve onları kutsayın! Kıymet bilip, kutsadığınız zaman, sevginin en yüksek frekansında oluyorsunuz. İncil'de İbraniler, kutsama hareketini, sağlık, varlık ve mutluluk getirmek için kullanıyor, kutsamanın gücünü biliyorlardı. Pek çok insanın birisini kutsaması için, o kişinin hapşırması gerekir, böylece bu insanlar, kendi iyilikleri için kullanabilecekleri en önemli güçlerden birinden faydalanmamış oluyorlar. Sözlükler kutsamayı; "ilahi yardım dilemek ve iyilik ile başarı ihsan etmek" olarak tanımlıyorlar, bu yüzden hemen kutsamanın gücünü hayatınızda görmeyi dilemeye bağlayarak, herkesi ve her şeyi kutsayın. Benzer şekilde, birilerinin veya bir şeyin kıymetini bilerek, sevgi verir, bu muhteşem frekansı yayarsınız, o da yüz misli katlanarak size geri döner.

Kıymet bilerek şükretmek ve kutsamak, tüm olumsuzlukları dağıtır, bu yüzden düşmanlarınızın değerini bilip onları da kutsayın. Onlara beddua etmeyin, çünkü bunu yaptığınızda, lanet geri gelip size zarar verir. Kutsayıp, varlıklarına şükrettiğinizde ise, tüm olumsuzlukları ve anlaşmazlıkları dağıttığınızdan, sevgi, şükran ve kutsama size geri döner. Şükredip kutsadığınızda, iyi duyguların geribildirimi sayesinde yeni bir frekansa geçtiğinizi hissedersiniz.

Dr. Denis Waitley

Tarihteki birçok lider, "Sır"ın önemli bir parçasını, başkalarına hak verip, onlarla paylaşma konusunu atlamışlar.

Şu an tarihte yaşamak için en iyi zaman. İlk kez parmak uçlarımızdaki bilgiye ulaşma gücünü elde ediyoruz.

Bu bilgi sayesinde, dünyaya ve kendinize dair gerçeklerin farkına varmış oldunuz. Ben, "Sır"da dünyaya dair kavradığım önemli bilgileri, Robert Collier, Prentice Mulford, Charles Haanel ve Michael Bernard Beckwith'in öğretilerinden edindim. Bu kavradıklarım bana bütünsel bağımsızlığı getirdi. Aynı bağımsızlık noktasına sizlerin de ulaşabileceğinizi içtenlikle umuyorum. Bunu yapabildiğiniz taktirde, tüm dünya ve insanlığın geleceği için en büyük iyilikleri, varoluşunuz ve düşünce gücünüz sayesinde, ortaya çıkarmış olursunuz.

- *Karşı koyduğunuz bir şeyi kendinize çekersiniz, çünkü heyecanlı ve güçlü bir biçimde üzerine odaklanırsınız. Bir şeyi değiştirmek için, bu fikre yoğunlaşarak, duygu ve düşünceleriniz aracılığıyla yeni sinyaller verin.*

- *Olumsuzluklara odaklanarak, dünyaya yardım edemezsiniz. Yeryüzündeki olumsuz olaylara odaklandığınızda, onları çoğaltmakla kalmaz, kendi yaşamınıza da olumsuzluk getirirsiniz.*

- *Dünyaya dair sorunlara odaklanmak yerine, dikkatinizi ve enerjinizi güvenmek, sevmek, bolluk, eğitim ve barış gibi konulara verin.*

- *İyi şeyleri asla tüketip bitiremeyiz, çünkü ihtiyaç duyulandan çok daha fazlası var. Yaşam bolluk ve bereket demek.*

- *Duygu ve düşünceleriniz aracılığıyla, o sınırsız arza hafifçe dokunarak, onu yaşantınıza katma kabiliyetine sahipsiniz.*

- *Dünyadaki her şeyin değerini bilip, onları kutsarsanız, olumsuzlukları ve uyuşmazlıkları yok ederek, kendinizi en yüksek frekans olan sevgiyle aynı çizgiye getirirsiniz.*

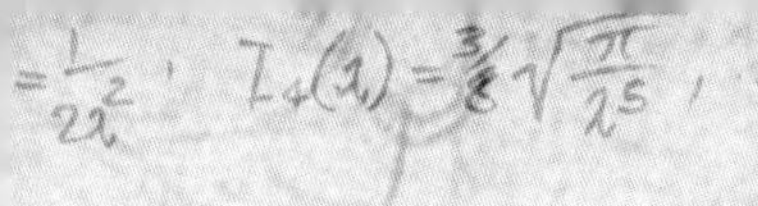

Sizin Sırrınız

Dr. John Hagelin

Çevremize, hatta kendi bedenlerimize baktığımızda, gördüğümüz şey; sadece buzdağının tepesidir.

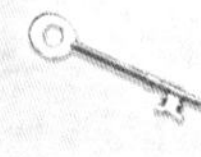

Bob Proctor

Bunu bir düşünün. Ellerinize bakın, durağan ve katı bir kitle gibi görünüyorlar, ama aslında öyle değiller. Onlara mikroskop altında baktığınızda, titreşen birer enerji kütlesi olduklarını görürsünüz.

John Assaraf

Elleriniz, okyanus ya da bir yıldız, ne olursa olsun her şey tam olarak aynı malzemeden yapılmıştır.

Dr. Ben Johnson

Her şey enerjidir. Bunu size şöyle anlatayım: Evren,

galaksimiz ve gezegenimiz, sonra insanlar, sonra bu bedenlerin iç yapılarındaki organ sistemleri, hücreler, moleküller ve atomlar var. Sonra da enerji var. Demek ki, ona dair düşünmenin bir çok seviyesi olmakla birlikte, Evren'deki her şey aslında enerji.

"Sır"rı keşfettiğim zaman, bu bilginin bilim ve fizik tarafından nasıl yorumlandığını merak ettim. Elde ettiğim sonuç kesinlikle şaşırtıcıydı. Yaşadığımız dönemin en heyecan verici olaylarından biri; kuantum fiziği ve yeni bilimin buluşlarının, "Sır"rın öğretileriyle ve bu bilgiye vakıf olan tarih boyunca gelmiş geçmiş bütün büyük öğretmenlerle mutlak bir uyum içinde olmasıdır.

Okulda fen veya fizik dersi görmemiş olmama rağmen, kuantum fiziğine dair karmaşık kitapları mükemmel anlıyorum, çünkü onları anlamak istiyorum. Kuantum fizik çalışmak bana, "Sır"rı, enerjiye ilişkin bir bakış açısıyla çok daha derinlemesine anlamam için yardımcı oldu. "Sır"rın öğretileriyle, yeni bilimin teorileri arasında mükemmel bir korelasyon olduğunu görmek bir çok insanın bu bilgiye olan inancını kuvvetlendirdi.

Gelin size, Evren'in en kuvvetli yayın merkezi sayılmanızın nedenlerini açıklayayım. Basitçe söylemek gerekirse, her enerji belli bir frekansla titreşir. Siz de bir enerji olduğunuza göre, siz de belli bir frekansta titreşim yayıyorsunuz; bu frekansı belirleyen ise, herhangi bir zaman diliminde düşündükleriniz ve hissettiklerinizdir. Ulaşmak istedikleriniz de birer enerji olduğuna göre onların da yaydıkları titreşimler var. Gördüğünüz gibi, enerji her şeyin hammaddesini oluşturuyor.

Size "vay be" dedirtecek unsur şimdi geliyor: Ulaşmak istediğiniz şeyi düşünüp o frekansı gönderdiğinizde, istediğiniz o şeye ait enerjinin o frekansta titreşmesini sağlayarak, onu "Size" getiriyorsunuz! İstediğiniz bir şeye odaklandığınızda, o şeyin atomlarındaki titreşimleri değiştirerek, "Size" doğru titreşmelerini sağlıyorsunuz. Evren'in en etkili yayın merkezi sayılmanızın nedeni, size enerjinizi düşünceleriniz aracılığıyla odaklama ve odaklandığınız şeye ait, titreşimlerini değiştirme gücü verilmiş olmasıdır; çünkü bu titreşimler o enerjiyi manyetik olarak size çekecektir.

Ulaşmak istediğiniz güzellikleri düşünüp hissettiğinizde, o an kendinizi derhal o frekansa geçirmiş olursunuz; bu da o güzel şeylere ait enerjinin tümünün size doğru titreşmesini sağlar ve istekleriniz hayata geçer. Çekim yasası, benzer benzeri çeker der. Hepimiz birer mıknatısız ve elektrik yükleyerek oluşturduğumuz mıknatıs etkisiyle, istediğimiz her şeyi kendimize çeker, kendimizi onlara doğru çekeriz. İnsanlar kendi manyetik enerjilerini kendileri yönetirler, çünkü, frekansı yaratan unsurlar duygu ve düşüncelerdir ve kendileri dışında hiç kimse onların yerine düşünüp hissedemez.

Neredeyse yüz yıl önce, son yüzyılda yapılan bilimsel keşiflerden faydalanmaktan mahrum olmasına rağmen, Charles Haanel Evren'in nasıl çalıştığını biliyordu.

> "Evrensel Akıl sadece zekayı değil, onun özünü de kapsar; ve bu öz, atomları oluşturmak için çekim yasasıyla elektronları bir araya getiren çekim gücüdür. Atomlar ise, aynı yasayla bir araya gelerek molekülleri oluşturur; moleküller

nesnel şekiller alır ve biz de yasanın, sadece atomların, dünyanın, Evren'in değil, her oluşumun, imgelemin şekillendirebileceği her kavramın arkasındaki güç olduğunu anlarız."

Charles Haanel

BOB PROCTOR

Hangi şehirde yaşıyor olursanız olun fark etmez, bedeninizin içindeki güç, o şehrin tamamını neredeyse bir hafta boyunca aydınlatacak potansiyele sahip.

"Bu gücün bilincine varmak 'elektrik teli' olmak demektir. Evren bir elektrik telidir. Her insanın yaşamındaki her duruma yetecek gücü onlara taşır. Bireysel akıl, Evrensel Akla dokunduğunda, bu gücü elde der."

Charles Haanel

JAMES RAY

Birçok insan bedeninin sınırlı olduğunu düşünse de bu doğru değildir. Mikroskop altında bile görülen bir enerji etkinlik alanına sahipsiniz. Enerji hakkında ne bildiğimizi ise şöyle anlatalım: Bir kuantum fizikçisine gidip, "Dünyayı oluşturan nedir?" diye sorsanız, size; "Enerji" diye cevap verir. Peki enerji nedir?

"O, her zaman varolmuş olan, varolan her şeydir. Biçimlerin içine girer, onlarla hareket eder, onlardan dışarı çıkar." Birine gidip; "Evren'i kim yarattı?" sorusunu sorsanız "Tanrı" diyecektir. Peki, Tanrı'yı nasıl tanımlarsınız? "Daima vardı, her zaman varoldu. O, yaratılıp yok edilemez. Şimdiye kadar varolduğu gibi, biçimlerin içinde, biçimler aracılığıyla, biçimler dışında daima varolacak". Gördüğünüz gibi, terminoloji farklı olsa da, tanımlar aynı.

Kendinizi ortalıkta dolaşan bir "et yığını" sanıyorsanız, yeniden düşünün. Siz spiritüel bir varlıksınız! Daha geniş bir enerji alanında işleyen bir enerji alanısınız.

Nasıl oluyor da bütün bunlar sizi spiritüel bir yaratık yapıyor? Bu sorunun cevabı, "Sır" öğretisinde beni en çok etkileyen bölüm. Siz enerjisiniz, ve enerji yaratılıp yok edilemez. Enerji sadece şekil değiştirir. Bu şekil sizsiniz. Sizin asıl özünüz, daima varolan ve varolacak olan arı enerjiniz. Asla yok olamazsınız.

Bilincinizin derinliklerinde, bu bilgi var. Var olmamayı imgeleyebiliyor musunuz? Hayatınızda görüp yaşamış olduğunuz bunca şey varken, var olmamayı düşünebiliyor musunuz? Bunu imgeleyemezsiniz, çünkü bu mümkün değil. Siz sonsuz enerjisiniz.

Tek Evrensel Akıl

DR. JOHN HAGELIN

Kuantum mekaniği bunu onaylıyor; kuantum kozmolojisi doğruluyor. Evren asıl olarak, düşünceden ortaya çıkmıştır ve çevremizdeki bütün bu içerik, düşünce yığınlarıdır. Sonuçta bizler Evren'in kaynağıyız ve bu gücü doğrudan deneyimlerimize bağlı olarak anladığımızda, otoritemizi uygulamaya ve daha fazlasına ulaşmaya başlayabiliriz. Herhangi bir şey tasarlayın. Kendi bilinç alanımızdaki herhangi bir şeyin, Evren'i çalıştıran Evrensel bilinç olduğunu bilin.

Bu gücü olumlu ya da olumsuz, nasıl kullanacağımız bize bağlı, örneğin sağlıklı ya da sağlıksız bir beden veya oluşturacağımız çevre bize bağlı. İnsan potansiyelinin bir sınırı yok. Bu derin dinamikleri ne kadar anlayıp ne kadar uygularsak gücümüzden de o kadar faydalanırız. Bu da yine, gerçekte hangi düzeyde düşündüğümüze bağlı.

Büyük öğretmenler ve avatarlardan bazıları, Evren'i Dr.Hagelin gibi tanımlıyor, varolan her şeyin Tek Bir Evrensel Akıl olduğunu ve o Tek Akıl'ın bulunmadığı hiçbir yer olmadığını söylüyorlar. O her şeyin içinde vardır. Tek Akıl, zeka, bilgelikler ve mükemmelliklerin tümüdür, her şeydir, her an, her yerdedir. Her şey Tek Evrensel Akılsa, ve tamamı her yerdeyse, o zaman bütünüyle içinizdedir!

Bunun ne anlama geldiğini anlamanıza yardımcı olayım: bu, bütün olasılıkların zaten varolduğu anlamına gelir. Bütün bilgi, bütün keşifler, gelecek bütün buluşlar, Evrensel Akıl'ın olasılıkları arasındalar ve insan zekasının onları çekip çıkarmasını bekliyorlar. Tarihteki her yaratım ve buluş, sahibi bunu bilinçli olarak bilse de bilmese de, Evrensel Akıl'dan çıkarılmıştır.

Bu bilgiyi oradan nasıl çıkaracaksınız? Bunu farkındalığınız ve olağanüstü hayal gücünüz sayesinde yapacaksınız. Karşılanmayı bekleyen ihtiyaçları görmek için çevrenize bakın. Şunu, şunu yapmak için şöyle şöyle büyük bir buluş olsaydı diye düşünün. İhtiyaçları araştırın ve karşılandıklarını düşünün. Buluş ya da keşif yapmakla uğraşmanız gerekmiyor. Yüce Akıl o imkana sahiptir. Sizin yapmanız gereken, zihninizi sonuca odaklamak ve o gereksinimin karşılandığını düşlemek böylece onu varoluşa çağırmış olursunuz. Bir şeyi isteyip, hissedip inanırsanız, onu elde edersiniz. Hafifçe dokunarak çağırmanız için bekleyen sınırsız bir arz var. Her şeyi bilincinizde tutuyorsunuz.

"Yalnız ve tek gerçek İlahi Akıldır"

Charles Fillmore

JOHN ASSARAF

Hepimiz birbirimize bağlıyız. Sadece bunu görmüyoruz. "İçeride" ya da "dışarıda" diye bir şey yok. Evren'deki her şey birbirine bağlı.Tamamı aynı enerji alanı.

Hangi biçimde bakarsanız bakın, sonuç yine aynı olacaktır. Hepimiz Bir'iz. Birbirimize bağlı ve Aynı Enerji Alanı ya da Bir Yüce Akıl, Tek Bilinç ya da Tek Yaratım Kaynağı. Nasıl isterseniz öyle adlandırın ama, biz hepimiz Bir'iz.

Şimdi, hepimizin Bir olduğundan yola çıkarak, çekim yasası üzerine düşünürseniz, onun mutlak mükemmelliğini anlarsınız.

Böylece, başkalarına dair olumsuz düşüncelerinizin geri dönerek yalnızca "Size" zarar verecek olmasının nedenini de anlamış olursunuz; çünkü, hepimiz Bir'iz! Olumsuz duygu ve düşüncelerinizle kötülüğü varoluşa çağırmadığınız sürece zarar görmeniz mümkün değil. Size seçim yapmanız için bir irade verilmiş olmasına rağmen, olumsuz düşünüp, olumsuz hisler beslediğinizde, kendinizi Bir'den ve Bütün İyiliklerden ayırmış oluyorsunuz. Varolan tüm olumsuz duyguları düşünün, tamamının korku temeline dayalı olduğunu keşfedeceksiniz. Bunlar, ayrı olma düşüncesinden ve kendinizi diğerlerinden ayrı görmekten geliyor.

Rekabet bir ayrılma örneğidir. Birincisi, rekabet duygusu geliştirdiğinizde, bu bir düşünce eksikliğinden kaynaklanır; sınırlı arz olduğunu zannettiğinizi, herkese yetecek kadar kaynak olmadığını, bu yüzden de bir şeyleri elde etmek için yarışmamız ve mücadele etmemiz gerektiğini ifade etmiş olursunuz. Yarışırsanız, kazandığınızı düşünseniz bile asla kazanamazsınız. Çekim yasasına göre, yarıştıkça, hayatınızın her alanında mücadele edecek, daha çok insan ve koşulu kendinize çeker ve sonunda kaybedersiniz. Hepimiz Bir'iz; bu yüzden başkalarıyla yarıştığınız zaman, Kendinizle rekabet ediyorsunuz. Rekabet fikrini, kafanızdan atmalı, yaratıcı bir akla sahip olmalısınız. Sadece, düşlerinize ve hayallerinize odaklanın ve rekabeti denklemden çıkarın.

Evren, Evrensel arzdır ve her şeyi sağlayandır. Her şey Evren'den gelir ve çekim yasası sayesinde, insanlar, koşullar ve olaylar aracılığıyla size ulaştırılır. Çekim yasasını, arz yasası olarak düşünün. Bu yasa, sınırsız arzdan istediklerinizi çekip almanızı sağlamaktadır. İsteğinizle aynı doğrultuda kusursuz bir frekans yaydığınızda, insanlar, koşullar ve olaylar kusursuz bir biçimde size doğru çekilerek, teslim edileceklerdir!

Arzuladıklarınızı size veren, insanlar değil. Böyle yanlış bir inanca kapılırsanız, dış dünyayı ve insanları kaynak olarak görür ve yokluğu yaşarsınız. Evren, Yüce Akıl, Tanrı, Sonsuz Zeka, ya da başka türlü nasıl tanımlıyorsanız tanımlayın gerçek kaynak görünmeyen alandadır. Herhangi bir şey elde ettiğiniz her zaman, bunu çekim yasası aracılığıyla ve Evrensel Arzla uyum içinde, onlarla aynı frekansta olarak kendinize çektiğinizi unutmayın. Her şeyin içine nüfuz eden Evrensel Zeka o nesneyi size getirmek için, insanları, durumları ve olayları harekete geçirmiştir, çünkü yasa böyledir.

Lisa Nichols

Bizler genellikle dikkatimizi beden dediğimiz, fiziksel varlığımıza veririz. Aslında beden sadece ruhunuzu tutar. Ruhunuz ise bir odayı dolduracak kadar büyüktür. Siz ebedi yaşamsınız.

Michael Bernard Beckwith

Bizler evren'in kendinin bilincine varmasının bir yoluyuz ya da açılmakta olan olasılıklara dair sınırsız etki alanlarıyız diyebiliriz. Hepsi doğru olur.

> "Aslında kimliğinizin yüzde doksan dokuzu görünmez ve ona dokunulamaz".
>
> R. Buckminster-Fuller (1895–1983)

Siz, kendini siz olarak ifade eden Ebedi Hayat, kozmik bir varlıksınız. Siz, güç, bilgelik, mükemmellik, görkemsiniz. Siz bu gezegende Kendi düşüncelerinizi oluşturansınız.

James Ray

Bütün gelenekler size yaratıcı kaynağın imgesinden ve suretinden yaratıldığınızı söyler. Bu da, kendi dünyanızı oluşturma konusunda müthiş bir potansiyele sahip olduğunuz anlamına gelir; ve öylesiniz.

Şimdiye kadar kendiniz için mükemmel ve değerli şeyler oluşturmuş olabilirsiniz, belki de bunu başaramamışsınızdır.

Burada dikkate almanızı istediğim soru şu: "Yaşamınızda elde ettiğiniz sonuçlar, gerçekten almak istedikleriniz miydi? Size layıklar mıydı? Size layık olmadıklarını düşünüyorsanız, şimdi bunu yapacak güce sahip olduğunuza göre, bunu değiştirmenin tam zamanı değil mi?

> "Gücümüzü içimizden alırız; dolayısıyla onu kontrol edebiliriz."
>
> Robert Collier

Siz Geçmişiniz Değilsiniz

Jack Canfield

Hayatın akışı içinde birçok insan kendisini kurban konumunda görür ve bunun için de genellikle geçmişi suçlar; örneğin; küfürbaz bir ebeveynle ya da sorunlu bir ailede büyüdüklerini söylerler. Psikologların birçoğu ise, ailelerin yüzde seksen beşinin sorunlu olduğunu söylüyor, bu durumda o kadar da yalnız değilsiniz.

Benim annem babam alkolikti. Babam bana kötü davranırdı. Annem ben altı yaşındayken babamdan boşandı... Burada söylemek istediğim, herkesin aşağı yukarı benzer bir öyküsü olabileceği. Asıl soru, şu an ne yapmakta olduğunuz. Şu an neyi seçiyorsunuz? Çünkü odaklandığınız şey ya budur, ya da ulaşmak istediklerinizdir. İnsanlar olmasını istedikleri şeylere odaklandıklarında, istemedikleri şeyler onlardan uzaklaşır. Arzuları daha geniş yer kaplamaya başlarken, diğer taraf kaybolur.

> "Aklını hayatın karanlık yanlarına takarak, geçmişteki şanssızlık ve düş kırıklıklarını tekrar tekrar düşünen bir insan, aynı şanssızlık ve düş kırıklıklarını gelecekte de yaşamak için dua etmiş olur. Gelecekte bir gün başınıza talihsizlikten başka bir şey gelmediğini görürseniz, bu bugün bunu çağırıyor olmanızdandır; ve kesinlikle de böyle olacaktır."
>
> Prentice Mulford

Hayatınızı gözden geçirip geçmişteki zorluklara odaklandığınızda, o an yaptığınız şey, daha zor koşulları hayatınıza çağırmaktan başka bir şey değildir. Ne olursa olsun unutun gitsin. Kendinize bu iyiliği yapın. Geçmişinizdeki herhangi birini başınıza gelenlerden dolayı suçluyor veya ona kin besliyorsanız, bu davranışınızla yalnızca "Kendinize" zarar veriyorsunuz. Hakettiğiniz yaşamı size sağlayacak tek insan kendinizsiniz. Bilinçli bir şekilde isteklerinize odaklanarak güzel duyulara dair ışınlar yaymaya başladığınızda çekim yasası size cevap verecektir. Yapmanız gereken tek şey başlayarak sihri açığa çıkarmak.

LISA NICHOLS

Siz kendi kaderinizin tasarımcısı ve yazarısınız. Kalem sizin elinizde, öyküyü siz yazıyorsunuz ve sonuç sizin seçiminiz oluyor.

Michael Bernard Beckwith

Çekim yasasının güzelliği, uygulamaya bulunduğunuz yerden başlayabilmeniz ve "real thinking" (gerçek düşünme) yapabilmeniz, böylece kendi içinizde hissedeceğiniz uyum ve mutluluğu üretmeye adım atabilmenizdir.

Dr. Joe Vitale

Artık, "Evren'de yeterli olandan çok daha fazlası var" ya da "yaşlanmıyor, gençleşiyorum" gibi farklı inanışlara sahip olmaya başladınız. Çekim yasasını kullanarak bunları istediğiniz gibi üretebilirsiniz.

Michael Bernard Beckwith

Ayrıca, kendinizi kalıtsal kalıplardan, kültürel kodlamalardan, sosyal yargılardan kurtarabilir, içinizdeki gücün dünyanın içindeki güçten daha büyük olduğunu kesin bir biçimde kanıtlayabilirsiniz.

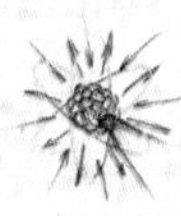

Dr. Fred Alan Wolf

"İyi, bu çok güzel ama, ben bunu yapamam ki" ya da "Bunu yapmama izin vermezler ki" ya da "Bunu yapmama yetecek kadar param yok ki" ya da "O kadar güçlü değilim" ya da "O kadar zengin değilim" ya da "o değilim, bu değilim, şu değilim, değilim, değilim".

"Değilim"lerin her biri bir yaratımdır!

"Değilim" dediğiniz zaman bunun farkına varmanız ve bunu söylediğinizde bunu oluşturduğunuzu düşünmeniz iyi fikir. Dr.

Wolf'un bu etkili anlayışı, büyük öğretmenler tarafından da aynı biçimde, "ben ...im" sözlerinin gücü olarak belgelenmişti. "Ben ...im" dediğiniz zaman, bunu izleyen sözler, etkili bir gücü üretime çağırıyor, çünkü siz orada söylediğinizin gerçekliğini ilan etmiş oluyor bunu kesinlikle açıklıyorsunuz. Böylece, siz "yorgunum", "param yok", "hastayım", "geç kaldım", "şişmanım", "yaşlıyım" dediğiniz zaman, Lambadaki Cin ortaya çıkıyor ve; "Dileğin benim için emirdir" diyor.

Bunları bildiğinize göre, bu iki güçlü sözcüğü "BEN ...İM" sözlerini kendi yararınıza kullanmaya başlamanız iyi olmaz mı? "Bütün iyi şeyler benim olur" cümlesine ne dersiniz? "BEN mutluYUM, BEN bereketliYİM, BEN sağlıklıYIM, BEN sevgiYİM, BEN dakikiM, BEN ebedi gençlikİM, BEN her gün enerji doluyUM."

Charles Haanel, Maymuncuk Sistemi adlı kitabında, herhangi bir insanoğlunun isteyebileceği her şeyi birleştiren bir olumlama olduğunu ve bu olumlamanın her istek için uyumlu koşullar ürettiğini iddia ediyor. "Bunun sebebi, bu olumlamanın "Hakikat"le tam bir uzlaşma içinde olması ve "Hakikat" ortaya çıktığında her tür yanlış düşünce veya uyuşmazlığın ortadan kaybolmaya mecbur kalmasıdır."

Söz konusu olumlama şudur: "Ben mükemmel, kuvvetli, etkili, sevecen, uyumlu ve mutlu bir bütünüm."

Bu durum size isteğinizi görünmeyen alandan, görünür alana çekmeye çalışmak gibi geldiyse, şu kısa yolu deneyin: dileğinizi kesinlikle olmuş gibi görün. Bu, isteğinizi, onu dilemiş olduğunuz

"Saniyede", ışık hızıyla ortaya koyacaktır, çünkü o Evrensel ruhsal alanda bir olgudur ve o alan varolan her şeydir. Kafanızda bir şey tasarladığınızda, bunun bir olgu olduğunu ve ortaya çıkmasına dair herhangi bir şüphe olamayacağını bilin.

> "Bu yasanın sizin için yapabileceklerinin herhangi bir sınırı yok; kendi idealinize inanma cesareti gösterin; bu idealin zaten başarılmış bir şey olduğunu düşünün."
>
> *Charles Haanel*

Henry Ford motorlu araçlara dair düşünü ortaya koyduğunda, çevresindekiler onunla alay etmiş, böyle "çılgın" bir hayalin peşinden koştuğu için deli olduğunu düşünmüşlerdi. Henry Ford kendisiyle alay edenlerden daha çok şey biliyordu. O, "Sır"ra ve Evren'in yasasına vakıftı.

> "Yapabileceğini de düşünsen, yapamayacağını da düşünsen; her iki durumda da sen haklısın."
>
> *Henry Ford* (1863–1947)

Başarabileceğini düşünüyor musun? Bu bilgiyle her istediğini yapabilir, her istediğini elde edebilirsin. Geçmişte belki de, zekanı küçümsemiş olabilirsin, ama artık Yüce Akıl'la özdeşleşmiş olduğunu biliyorsun ve istediğin her şeyi o Bir Tek Yüce Akıl'dan çekip çıkarabileceğini biliyorsun. Her buluş, her esin, her cevap, her şey orada. Yapmak istediğin her şeyi yapabilirsin. Tanım ötesi bir dahisin, bu yüzden bunu kendine söylemeye başla ve gerçekte kim olduğunun farkına var.

MICHAEL BERNARD BECKWITH

Bunun bir sınırı var mı? Kesinlikle yok. Bizler sınırsız yaratıklarız. Bir üst sınırımız yok. Beceriler, yetenekler, Tanrı vergisi özellikler ve güç bu gezegendeki herkesin içinde var, ve bunların sınırı yok

Düşüncelerinizin Farkına Varın

Bütün gücünüz, o gücün farkında olmaktan ve bu bilinci kaybetmemekten geliyor.

Onu başıboş bırakırsanız, beyniniz raydan çıkmış bir buharlı trene benzeyebilir. Geçmişte yaşadığınız kötü olayları alıp, geleceğinize yansıtarak sizi geçmişinizden de, geleceğinizden de koparabilir. Bu kontrol-dışı-düşünceler de bir şeyleri oluşturmaktadır. Şimdiki zamanda yaşadığınızın farkına vardığınız taktirde, ne düşündüğünüzü bilirsiniz. Böylece, düşünceleriniz üzerinde kontrol kazanmış olursunuz. Gücünüzün kaynağı da buradadır.

Peki daha çok farkındalığı nasıl kazanacaksınız? Bunu yapmanın yollarından biri, bir an için durup kendinize; "Şu an ne düşünüyorum? Şu an ne hissediyorum?" diye sormaktır. Bunu kendinize sorduğunuz an, duygu ve düşüncelerinizi fark ettiniz demektir, çünkü beyninizi şimdiki zamana geri getirmiş olursunuz.

Bunu her düşündüğünüzde, kendinize içinde yaşadığınız zamanı fark ettirin. Bu uygulamayı her gün yüzlerce kez yapın; çünkü biliyorsunuz ki, gücünüzün tamamı, o gücün farkında olmaktan geliyor. Michael Bernard Beckwith; "hatırlamayı hatırla!" diyerek farkındalık konusunu özetliyor. Bu sözler benim hayatımın tema müziği oldu.

Daha fazla farkındalık kazanmaya çalıştığımda, kendimi geliştirmek için, hatırlamayı hatırlar, Evren'den beni hafifçe dürterek aklımın takıldığı yer neresiyse oradan şimdiki zamana getirmesini isterim. Bu nazik bir dirsek darbesi; yürürken bir yere toslamam, bir şey düşürmem, abartılı bir gürültü, bir siren ya da geçip giden bir tehlike olabilir. Bu tür hareketlerin tamamı, aklımın başka yerlere takıldığını söyleyerek, şimdiki zamana geri gelmesi konusunda beni uyaran işaretlerdir. Bu sinyalleri aldığımda, hemen durur; "Şu an ne düşünüyorum? Ne hissediyorum? Bunların farkında mıyım?" diye kendime sorarım. Bunları sorduğum zaman ise, tabii ki, farkında olurum. Kendi kendinize farkında olup olmadığınızı sorduğunuzda, siz de oradasınız ve farkındasınız demektir.

"Güce dair gerçek sır, onun bilincinde olmaktır."

Charles Haanel

"Sır"rın gücünü fark ederek onu kullanmaya başladığınızda, tüm sorularınıza cevap bulmuş olacaksınız. Çekim yasasını derinlemesine anladığınızda, soru sormayı alışkanlık haline getirmeye başlayabilir, böyle yaptıkça da her birine cevap alırsınız. Söz konusu amaca ulaşmak için bu kitabı kullanmaya başlayabilirsiniz. Yaşamınızdaki herhangi bir şey için bir cevap, bir rehber arıyorsanız, sorunuzu sorun, cevap alacağınıza inanın ve bu kitabı rastgele açın. Açılan sayfada aradığınız cevabı ve tavsiyeyi bulacaksınız.

Evren'in sorularınızı tüm hayatınız boyunca yanıtladığı doğru, ama siz cevapları ancak farkında olduğunuz zaman alırsınız. Çevrenizdeki her şeyi fark edin, çünkü sorularınız gün içinde her an yanıtlanıyor. Cevapları size getiren kanallar sınırsız. Bunlar, dikkatinizi çeken bir gazete manşeti de olabilir, birinin konuşmasını tesadüfen duymak da, radyodaki bir ses veya geçip giden bir kamyonun üzerindeki bir ilan ya da aniden gelen ilham olabilir. Hatırlamayı hatırla ve farkına var!

Gerek kendi hayatıma, gerekse başkalarının hayatlarına baktığımda gördüğüm bir şey var; bizler, kendimiz için her zaman iyi şeyler düşünmüyor, kendimizi tamamıyla sevmiyoruz. Kendimizi sevmememiz, dileklerimizi bizden uzak tutuyor. Kendimizi sevmediğimizde, bize gelecek şeyleri iterek kendimizden uzaklaştırıyoruz.

İstediğimiz şey ne olursa olsun, sevgiyle beslenir. Bütün o, gençlik, para, mükemmel insan, iş, güzel bir beden, sağlık gibi şeyleri almak demek, sevgiyi duyumsamak demektir. Sevdiğimiz şeyleri kendimize çekmek için sevgi yaymalıyız; bunu yaptığımızda, dileklerimiz hemen yerine gelecektir.

Buradaki güçlük, sevgiye dair en yüksek frekansı yaymak, kendinizi sevmek ve bunu yapmak bazıları için zor oluyor. Kendinize dışarıdan bakar ve gördüklerinize odaklanırsanız, kendinizi yanıltırsınız, çünkü kendinize dair görüp hissettikleriniz, eskiden düşünmüş olduklarınızın sonucudur. Kendinizi sevmiyorsanız, gördüğünüz insan sizin kendinizde bulduğunuz hatalarla dolu gibi görünüyor olabilir.

Kendinizi tamamıyla sevmek için, Kendinize dair yeni bir boyuta, içinizdeki varlığa odaklanmalısınız. Bir dakika durup sessizce oturun ve Kendi içinizdeki yaşamın varlığını hissetmeye odaklanın. Siz içinizdeki varoluşa odaklandıkça, o da Size kendisini gösterecektir. Bu, katıksız sevgiyi, çok büyük bir mutluluğu ve o varoluşa şükretmeyi duyumsamaktır. Büyük olasılıkla hayatınızda ilk kez kendinizi böylesine kusursuz bir sevgiyle seveceksiniz.

Kendinize eleştirel gözle baktığınız zamanlar, odak noktanızı hemen içsel varlığınıza çevirin, böylece ne kadar kusursuz olduğunuzu görebilirsiniz. Bunu yaptığınızda, yaşantınızda karşınıza çıkan tüm kusurlar ortadan kaybolacak, çünkü, kusurlar varoluşun ışığı altında yaşayamazlar. Kusursuz görme yeteneğini geri kazanmak, hastalıkları yok etmek ve yeniden sağlığa kavuşmak, yoksulluğu zenginliğe dönüştürmek, yaşlanmayı ve çirkinleşmeyi engellemek de isteseniz, her türlü olumsuzluğun kökünü kazımayı da isteseniz; içsel varlığınıza odaklanıp onu sevdiğinizde mükemmellik kendini gösterecektir.

> "Mutlak gerçek; 'ben'in kusursuz ve eksiksiz olduğudur; gerçek 'ben' ruhsal bir varlıktır ve dolayısıyla mükemmelliğinde bir kusur olması imkansızdır; asla bir eksikliği, sınırlaması ya da özürü olamaz."
>
> Charles Haanel

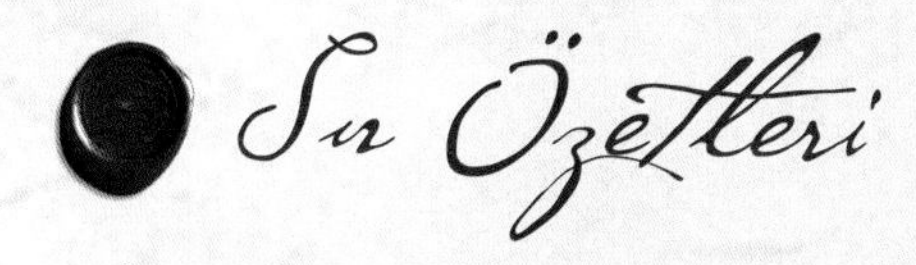

- *Her şey enerjidir. Siz bir enerji mıknatısısınız ve bu yüzden, elektriksel enerji vererek istediğiniz her şeyi kendinize, kendinizi de onlara doğru çekiyorsunuz.*

- *Siz ruhsal bir varlıksınız. Siz enerjisiniz, enerji yok edilemez, sadece şekil değiştirir. Dolayısıyla size ait katıksız öz, daima varolacak.*

- *Evren düşünceden doğmuştur. Bizler sadece kendi kaderimizi oluşturmakla kalmıyor, etrafımızınkini de oluşturuyoruz.*

- *Ulaşabileceğiniz fikirler size sınırsızca sunulmaktadır. Bilgiye dair her şey, keşifler, buluşlar hepsi birer olanak olarak Evrensel Akılda, insanoğlu tarafından ortaya çıkarılmayı beklemektedir. Her şeyi bilincinizde tutmaktasınız.*

- *Hepimiz birbirimize bağlıyız ve hepimiz Bir'iz.*

- *Geçmişte yaşadığınız sıkıntıları, kültürel kodları ve sosyal yargılamaları unutun. Hakettiğiniz yaşamı oluşturabilecek tek kişi sizsiniz.*

- *Arzularınızı gerçekleştirmenin en kısa yolu, dileklerinizi mutlak gerçekler olarak görmektir.*

- *Gücünüz düşüncelerinizdedir, bu farkındalığı kaybetmeyin. Diğer bir deyişle; "Hatırlamayı hatırlayın".*

Yaşamın Sırrı

Neale Donald Walsch

YAZAR VE ULUSLARARASI KONUŞMACI

Gökyüzünde, üzerine dünyadaki misyonumuzun ve amacımızın yazılmış olduğu bir karatahta yok. Gökyüzünde üzerine; "Neale Donald Walsch; yirmi birinci yüzyılın ilk yarısında yaşamış yakışıklı adam, ..." diye yazılıp gerisi boş bırakılmış bir karatahta da yok. Burada ne yaptığımı, kim olduğumu gerçekten anlamak için yapmam gereken tek şey, o tahtayı bulmak ve Evrenin benim için aslında ne tasarladığını keşfetmek, ama böyle bir tahta mevcut değil.

Bu yüzden, gayeniz, söylediğiniz şeydir. Göreviniz, kendinize yüklediğiniz misyondur. Hayatınız kendi oluşturduğunuz yaşantıdır.

Yaşamınızın karatahtasını istediğiniz gibi doldurabilirsiniz: Tahtanızı geçmişe ait bir bagaj dolusu anıyla doldurduysanız, hemen silip temizleyin. Geçmişe ait işe yaramaz her şeyi silerek, onlara sizi bu noktaya, yeni bir başlangıca getirdikleri için teşekkür edin. Artık yeni bir yazı tahtanız var, yeniden başlayabilirsiniz; tam burada, hemen şimdi. Mutluluğunuzu bulun ve onu yaşayın!

JACK CANFIELD

Bu noktaya gelmek yıllarımı aldı, çünkü, yapmakla yükümlü olduğum bir görevim olduğuna ve bu görevi yerine getirmediğim taktirde, İnsanların benden memnun olmayacağına inanarak büyüdüm.

Asıl hedefimin, mutluluğu hissetmek ve yaşamak olduğunu anladığım zaman, yalnızca beni mutlu eden şeyleri yapmaya başladım. Hep söylediğim bir deyiş var; "Keyif almadığın işi yapma!"

NEALE DONALD WALSCH

Neşe, sevgi, özgürlük, mutluluk, kahkaha. Olay budur. Size göre mutluluk, orada oturup bir saat boyunca meditasyon yapmaksa, bunu yapın. Mutluluğu peynirli sandviç yemekte buluyorsanız, o zaman yiyin!

JACK CANFIELD

Kedimle oynarken kendimi mutlu hissediyorum. Doğa yürüyüşleri yaparken de mutluyum. Bu yüzden sürekli kendimi mutlu etmeye çalışıyorum; bunu yaptığım zaman da, yapmam gereken tek şey dileğim için niyet etmek oluyor, böylece istediğim şey oluyor.

Hoşunuza giden şeyleri yapın ve kendinizi mutlu edin. Sizi mutlu eden şeyin ne olduğunu bilmiyorsanız, kendinize; "Beni ne mutlu eder?" sorusunu sorun. Cevabı bulup, kendinizi ona, mutluluğunuza adadığınızda ise, çekim yasası, sevindirici insanları, koşulları, olayları ve fırsatları hayatınıza çığ gibi yağdıracak; çünkü o zaman siz Evren'e mutluluk ışınları yayıyor olacaksınız.

DR. JOHN HAGELIN

Başarının gerçek yakıtı içsel mutluluktur.

Şimdi mutlu olun. Şu an kendinizi mutlu hissedin. Yapmanız gereken tek şey bu. Bu kitabı okumakla kazandığınız tek şey bu olsa bile, "Sır"rın büyük bir kısmını elde ettiniz demektir.

DR. JOHN GRAY

Sizi mutlu eden her şey, size daima biraz daha mutluluk getirecektir.

Şu an bu kitabı okuyorsunuz. Onu hayatınıza çeken sizdiniz, ve hoşunuza gittiyse bunu alıp hayatınıza, uygulamak da sizin seçiminiz. Hoşlanmadıysanız o zaman atın bir kenara gitsin. Sizi mutlu edecek, yüreğinizin sesine ayak uyduracak başka bir şey bulun.

"Sır"ra dair bu bilgi size verilmiş olmakla birlikte, onu nasıl kullanacağınız tamamen size kalmış. Kendiniz için neyi seçerseniz seçin, doğrudur. Onu kullanmayı da seçseniz, kullanmamayı da, bu sizin seçiminiz; istediğinizi seçmekte özgürsünüz.

"Mutluluğunuzun peşinden gidin, her tarafınız duvarlarla kaplı olsa bile, Evren size kapılar açacaktır."

Joseph Campbell

Lisa Nichols

Mutluluğunuzu takip ettiğinizde, sürekli neşeli olur, kendinizi Evren'in bereketine açarsınız. Hayatı sevdiklerinizle paylaşma heyecanı yaşarsınız. Bu heyecanınız, tutkunuz ve mutluluğunuz çevrenizdeki herkese bulaşır.

Dr. Joe Vitale

Neredeyse her anımı, heyecanımın, tutkumun, coşkumun peşinden giderek geçiriyorum; ve bunu gün boyu hiç bırakmıyorum.

Bob Proctor

Hayatın tadını çıkarın, çünkü hayat olağanüstü, görkemli bir yolculuk!

Marie Diamond

Farklı bir gerçeklikte, farklı bir hayat yaşayacaksınız. İnsanlar bunu gördükçe size; "Senin ayrıcalığın ne?" diye soracaklar. Aradaki tek fark sizin "Sır"rı uyguluyor olmanız olacak.

Morris Goodman

Sonra da, insanların bir zamanlar size; yapmanızın, almanızın ve olmanızın imkansız olduğunu söyledikleri şeyleri, yapabilir, alabilir, olabilirsiniz.

Dr. Fred Alan Wolf

Şimdi artık gerçekten yeni bir çağa geçiyoruz. "Uzay Yolu"nda söylenmiş olabileceği gibi, son sınırın uzay değil, akıl olacağı bir çağ bu.

Dr. John Hagelin

Sınırsız potansiyeli ve sınırsız olanakları olan bir gelecek görüyorum. İnsanoğlunun beyin potansiyelinin sadece yüzde beşini kullanabildiğini unutmayın. Uygun eğitimle bu potansiyelin yüzde yüzü kullanılabilir. Buradan yola çıkarak, insanların zihinsel ve duygusal potansiyellerinin tamamını kullandıkları bir dünya imgeleyin. Öyle bir dünyada her yere gidebilir, her şeyi yapabilir, her şeyin üstesinden gelebilirdik.

Görkemli gezegenimizde yaşadığımız bu dönem tarihin en heyecan verici dönemi. İnsanoğlunun uğraştığı her alan ve konuda imkansızın, mümkün olduğunu görüp, yaşayacağız. Sınırlarımız olduğuna dair sahip olduğumuz tüm düşüncelerden kurtularak, sınırsız olduğumuzu bilirsek, insana dair sınırsız görkemi, spor, sağlık, sanat, teknoloji ve bilim ile varoluşun her alanında yaşayacağız.

İhtişamınıza Kucak Açın

Bob Proctor

Kendinizi arzu ettiğiniz güzellikleri yaşarken görün. Tüm dinlerin kitapları, felsefe üzerine yazılmış bütün önemli kitaplar, bütün büyük liderler, gelmiş geçmiş avatarların tamamı bize bunu söylerler. Tarihteki bilgeleri incelerseniz, birçoğunun bu kitapta size takdim edildiğini görürsünüz. Hepsinin ortak yanı "Sır"rı çözmüş olmalarıydı. Artık siz de biliyorsunuz ve "Sır"rı kullandıkça onu daha iyi anlayacaksınız.

"Sır" sizin içinizde. İçinizdeki bu gücü ne kadar çok kullanırsanız, onu o kadar çok kendinize çekeceksiniz. Öyle bir noktaya geleceksiniz ki, onu uygulamaya artık ihtiyaç duymayacaksınız; çünkü güç Olacaksınız, kusursuzluk Olacaksınız, bilgelik Olacaksınız, zeka Olacaksınız, sevgi Olacaksınız, mutluluk Olacaksınız.

LISA NICHOLS

Hayatın bu hassas noktasına gelmenizin tek sebebi, içinizde bir şeylerin; "Mutlu olmayı hakediyorsun" demiş olması. Bu dünyaya bir şeyler, bazı değerler katmak için doğdunuz. Sadece bugün dünden daha iyi, daha büyük olun.

Sizi siz yapan her şey, şimdiye kadar yaşamış olduğunuz her an, sizi bu ana hazırladı. Bugünden itibaren elinizdeki bilgiyle neler yapabileceğinizi bir düşünün. Artık kaderinizi oluşturabileceğinizi biliyorsunuz. Başka neler yapacaksınız? Başka neler olacaksınız? Sadece varolarak kaç insanı daha kutsayacaksınız? Anı nasıl kullanacaksınız? Anı nasıl yaşayacaksınız? Sizin dansınızı sizden başkası yapamaz, şarkınızı söyleyemez, öykünüzü yazamaz. Kim olduğunuzun, ne yaptığınızın hikayesi asıl şimdi başlıyor!

MICHAEL BERNARD BECKWITH

Sizin harika bir insan olduğunuzu ve olağanüstü bir yanınız olduğunu düşünüyorum. Hayatınız boyunca neler yaşadığınıza, kendinizi genç mi, yaşlı mı hissettiğinize bakmaksızın, "gerektiği gibi düşünmeye" başladığınız an, içinizdeki bu olağanüstü yan, dünyadan daha güçlü olan kuvvetiniz, ortaya çıkmaya başlayacak. Yaşamınızı devralarak, sizi besleyip, giydirecek, yol gösterip koruyacak, sizi idare ederek varoluşunuzu destekleyecek. Eğer izin verirseniz. Artık bunları biliyorsunuz, kesinlikle.

Dünya yörüngesinde Sizin için dönüyor. Okyanuslar Sizin için yükselip alçalıyor. Kuşlar Sizin için Şakıyor. Yıldızlar Sizin için görünüyor. Gördüğünüz tüm güzellikler, yaşadığınız tüm harikalıklar hepsi Sizin için buradalar. Kimliğinize dair düşünmüş olduklarınızın bir önemi yok, şimdi artık, Gerçekte Kim Olduğunuzu biliyorsunuz. Siz Evrenin seçilmişisiniz. Krallığın varisi, Yaşamın mükemmelliğisiniz; ve artık "Sır"rı biliyorsunuz.

Mutluluk sizinle olabilir!

> "Sır tüm olmuşların, olanların ve olacakların cevabıdır".
>
> Ralph Waldo Emerson

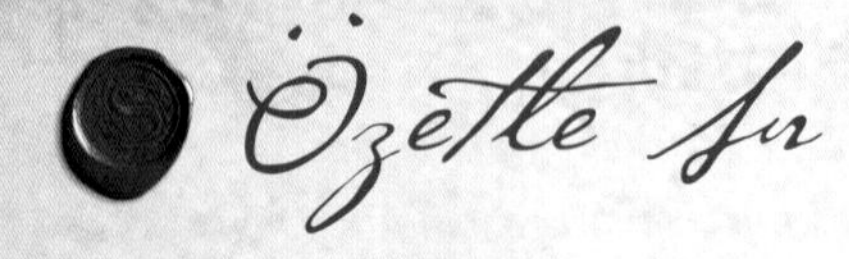

- *Hayatınıza ait karatahtaya, istediğiniz her şeyi yazabilirsiniz.*

- *Şimdi yapmanız gereken tek şey, kendinizi iyi hissetmek.*

- *İçinizdeki gücü ne kadar çok kullanırsanız, o kadar çok gücü kendinize çekersiniz.*

- *Artık kendi görkeminize kucak açmanızın zamanı geldi.*

- *Muhteşem bir çağın ortalarındayız. Sınırlayıcı düşüncelerimizden vazgeçtiğimizde, varoluşun her alanında insanlığın gerçek ihtişamını yaşayacağız.*

- *Neyi seviyorsanız onu yapın. Size mutluluk getirecek şeyin ne olduğunu bilmiyorsanız kendinize; "Beni ne mutlu eder?" sorusunu sorun. Kendinizi mutluluğa teslim ettiğinizde, mutluluk ışınları yaymaya başlayacağınız için, sizi mutlu edecek şeyler çığ gibi üzerinize yağacaklar.*

- *Artık "Sır"ra vakıf oldunuz, onunla ne yapacağınız size bağlı. Seçtiğiniz şey, ne olursa olsun, doğru olacak. Güç tamamıyla sizindir.*

Biyografiler

John Assaraf

Bir zamanların sokak çocuğu, John Assaraf artık uluslararası çok satan bir yazar, konuşmacı ve girişimcilere harika bir yaşam sürerken daha fazla para kazanma konusunda fikir veren bir mesleki danışman. John, son yirmi beş yılını, iş yaşamında başarılı olmakla ilintili gördüğü konuları; insan beynini, kuantum fiziğini ve iş stratejilerini araştırmaya adamış. Öğrendiklerini kullanarak, sıfırdan başlayıp dört adet multi-milyon dolarlık şirket kurmuştur. Şimdi bir eşi daha olmayan şirket binasında, para kazanmaya dair görüşlerini dünyanın her yanından girişimciler ve küçük ölçekli işyeri sahipleriyle paylaşıyor. Daha fazla bilgi için; www.onecoach.com web sitesini ziyaret edebilirsiniz.

Michael Bernard Beckwith

Bağımsız, ilerici bir insan olan Dr.Beckwith, 1986 yılında "Agape International Spiritual Center"ı kurdu. Merkezin kayıtlı yerel üye sayısı on bin olmakla birlikte, dünyanın her yanından yüz binlerce katılımcısı ve takipçisi bulunuyor. Dr.Beckwith, Dalai Lama , Sarvodaya'nın kurucusu Dr. A.T. Ariyaratne, Mohandas K.Gandhi'nin torunu Arun Gandhi gibi spiritüel bilge kişilerle birlikte hizmet veriyor. Ayrıca, kendisi, hazırladığı yıllık konferanslarla bilim adamlarını, ekonomist-leri, sanatçıları ve insanoğluna en yüksek potansiyelini ortaya çıkarmak gibi uzmanlık gerektiren bir konuda rehberlik yapan manevi liderleri bir araya getiren, Association for Global New Thought (Global Yeni Düşünce Birliği)'un da kurucularından biridir.

Meditasyon ve bilimsel dua öğreten, konferans ve seminerlerde konuşan Dr.Beckwith, ayrıca, "Life Visioning Process"in yaratıcısı ve "Inspirations of the Heart", "40 Day Mind Fast Soul Feast" ve "A Manifesto of Peace" kitaplarının da yazarı. Daha fazla bilgi için; www.Agapelive.com sitesini ziyaret edebilirsiniz.

GENEVIEVE BEHREND (1881–1960)

Genevieve Behrend, spiritüel metafiziğin ilk öğretmenlerinden biri olan, ve "Mental Science"ı yazan büyük hukukçu Thomas Troward'la çalıştı. Thomas Troward'ın tek öğrencisi seçtiği Behrend, "mental science"ı (zihin bilimi) öğretip, konferanslar vererek uygulamak üzere Kuzey Amerika'ya gitti ve otuz beş yıl boyunca orada çalışarak, kendi popüler kitapları "Your Invisible Power" ve "Attaining Your Heart's Desire"ı yazdı.

Lee Brower

Lee Brower, uluslararası danışmanlık firması "Empowered Wealth"ın kurucusu ve CEO-sudur. Burada, işyerlerine, kuruluşlara, ailelere ve bireylere; özlerini, deneyimlerini, finansal durumlarını geliştirmeleri için bazı sistemler ve çözüm yolları sunulmakta. Brower ayrıca, uluslararası "Quadrant Living Advisors" zincirine lisans ve eğitim veren butik şirket "The Quadrant Living Experience", LLC'ın da kurucusudur. Lee, "Wealth Enhancement and Preservation" adlı kitabın yazarlarından biri ve "The Brower Quadrant"ın da yazarıdır. Kendisine ait iki web sitesinin adresleri ise şöyle: www.empoweredwealth.com ve www.quadrantliving.com.

Jack Canfield

Jack Canfield, "The Success Principles"ın yazarı, olay yaratan New York Times çok satanlar listesi birincisi, şu ana kadar yüz milyondan fazla basılmış olan "Chicken Soup for the Soul" (Tavuk Suyuna Çorba) serisinin tasarımcılarından biridir. Canfield, girişimcilerin, ortak liderlerin, yöneticilerin, pazarlamacıların, memurların ve eğitimcilerin, atılım yaparak başarı kazanmaları konusunda Amerika'nın en önemli uzmanlarından biridir ve yüz binlerce insanın düşlerine ulaşmasına yardımcı olmuştur. Jack Canfield'e ilişkin daha fazla bilgi için; www.jackcanfield.com adresini ziyaret edebilirsiniz.

ROBERT COLLIER (1885–1950)

Robert Collier, çok başarılı bir Amerikan yazarıdır. "The Secret of the Ages" ve "Riches within Your Reach" de dahil olmak üzere tüm kitapları, Collier'ın metafizik konusunda yapmış olduğu kendi araştırmaları ile başarı, mutluluk ve bereketin herkes tarafından hakedilmiş olduğundan kolayca elde edilebileceğine dair kişisel inancı üzerine kurulmuştur. Bu kitapta yer verilen alıntılar, Robert Collier Publications'ın cömert izinleriyle "The Secret of the Ages" dizisinin yedinci cildinden alınmıştır.

DR. JOHN F. DEMARTINI

Bir zamanlar, öğrenme güçlüğü çektiği söylenen John Demartini, şimdi doktor, filozof, yazar ve uluslararası konuşmacı. "Yılın Kayroprakt'›" ödülü sahibi Dr.Demartini, başarılı çalışmalarını yıllarca kendi kliniğinde sürdürdükten sonra, şimdi profesyonel sağlık personeline uzman doktor olarak danışmanlık vererek, felsefe ve iyileşme konularında yazılar yazıyor, konuşmalar yapıyor. Kendi kişisel dönüşüm metodolojisi ile bugüne kadar binlerce insana yaşamlarında daha iyi bir düzen kurmaları ve mutluluğu bulmaları için yardımcı oldu. Web sitesi adresi; www.drdemartini.com dur.

MARIE DIAMOND

Marie, kendisine genç yaşta verilen bilgileri rafine ederek, bunları yirmi yılı aşkın bir süredir uygulayan, dünya çapında tanınmış bir Feng Shui uzmanıdır. Sayısız Hollywood şöhretine, en önemli film yönetmenlerine, yapımcılara, müzik devlerine, ünlü yazarlara danışmanlık yapmıştır. Birçok ünlü politikacı ve işadamına hayatlarının her alanında daha da başarılı olmalarına yardımcı olmuştur. Marie, "Diamond Feng Shui", "Diamond Dowsing" ve "Inner Diamond Feng Shui" yi bulmuş ve çekim yasasını, insanların yaşam alanına taşımıştır. Web sitesinin adresi; www.mariediamond.com dur.

MIKE DOOLEY

Mike bir "kariyer" öğretmeni ya da konuşmacısı değildir; onun yerine, bir "yaşam serüvencisi" olarak, gemisini hem ortaklık hem de girişimcilik alanlarında başarılı bir biçimde götürmüştür. Price Waterhouse için çalışarak, dünyanın çeşitli yerlerinde yaşadıktan sonra, 1989 yılında kendi ürünleri olan esin veren nesneleri toptan ve perakende satmak üzere ortaklarıyla birlikte"Totally Unique Thoughts"u (TUT) kurdu. O günden bugüne, TUT bölgesel bir mağaza zinciri oldu, Birleşik Devletler'deki bütün büyük mağazalarda satıldı, Japonya, Suudi Arabistan ve İsviçre'deki dağıtım merkezleri aracılığıyla bir milyonun üzerinde "Totally Unique T-Shirt"ü dünyanın birçok yerindeki alıcılara ulaştı. 2000 yılında ise, Mike TUT'u web tabanlı bir esin veren felsefik Maceracılar Kulübü'ne dönüştürdü. Bu sitenin de şimdi yüz altmış dokuzdan fazla bölgeden altmış bini aşan üyesi var. Ayrıca Mike, "Notes from the Universe" ün üç cildi de dahil olmak üzere birçok kitap yazdı. Ayrıca, uluslararası onay alan, işitsel program "Infinite Possibilities: The Art of Living Your Dreams" de onun eseridir. Mike ve TUT'a dair daha ayrıntılı bilgiyi www.tut.com dan alabilirsiniz.

Bob Doyle

Bob Doyle, çekim yasasına ve pratik uygulamasına dair etkili bir multimedya müfredatı olan Wealth Beyond Reason Programını tasarlayıp basitleştiren kişidir. Bob, çekim yasasını hayatınızda daha bilinçli kullanmanız ve bereketi, başarıyı, hayranlık uyandıran ilişkileri ve istediğiniz her şeyi kendinize çekmeniz için bu yasanın ilmine odaklanmıştır. Daha fazla bilgi için; www.wealthbeyondreason.com adresini ziyaret ediniz.

Hale Dwoskin

New York Times "bestseller"ı "Sedona Metodu"nun yazarı Hale Dwoskin, kendisini insanları sınırlayıcı yargılarından kurtarmaya ve onların kalplerindekilere ulaşmalarına yardımcı olmaya adamıştır. Sedona Yöntemi, insanlara sınırlayıcı ve acı veren duygu, inanış ve tutumlardan kurtulmayı öğreten etkili ve eşsiz bir tekniktir. Hale, geçtiğimiz otuz yıl boyunca bu prensipleri dünyanın her yerinden şirketlere ve bireylere öğretmiştir. Web sitesinin adresi; www.sedona.com dur.

Morris Goodman

Morris Goodman, 1981 yılında geçirdiği uçak kazasında korkunç bir biçimde yaralanıp sağlığına kavuştuktan sonra "Mucize Adam" lakabıyla manşetlere geçmişti. Asla yürüyemeyeceği, konuşamayacağı, normal bir yaşam süremeyeceği söylenmişti ama o, bugün dünyanın her yerine giderek, şaşırtıcı öyküsüyle binlerce insanın moralini düzelterek onlara cesaret aşılıyor. Morris'in eşi Cathy Goodman de "Sır"da yer aldı ve o da kendi sağlığına dair öyküyü anlatarak insanlara bu konuda ilham kaynağı oluyor. Daha ayrıntılı bilgi için; www.themiracleman.org adresini ziyaret edebilirsiniz.

DR. JOHN GRAY

John Gray, "Erkekler Mars'tan, Kadınlar Venüs'ten"in yazarıdır. Son on yılın ilişkiler üzerine en çok satan kitabı olan bu kitap, otuz milyon kopyadan fazla sattı. Gray, on dört "bestseller" daha yazdı ve binlerce katılımcıya seminerler verdi. Odaklandığı konu, erkekler ve kadınların, hem kişisel hem de mesleki açılardan birbirlerinin farklılıklarını anlayıp, saygı duyup kabullenmelerine yardımcı olmaktı. Son kitabının adı ise; "Mars and Venus Diet and Exercise Solution". Daha fazla bilgi edinmek için; www.marsvenus.com adresini ziyaret edebilirsiniz.

CHARLES HAANEL (1866–1949)

Charles Haanel, başarılı bir Amerikan işadamı ve birçok kitabın yazarıydı. Kitaplarının tamamı Haanel'in kendi hayatında yakaladığı fevkaladelikleri elde etmek için kullandığı yöntem ve fikirleri içeriyordu. En ünlü eseri "The Master Key System" (Maymuncuk Sistemi) fevkaladeliklere ulaşmak için haftalık olarak uygulanacak 24 ders veriyor ve günümüzde de en az ilk yayınlandığı yıl olan 1912'deki kadar popüler.

Dr. John Hagelin

Dr.John Hagelin, tüm dünyada tanınan bir kuantum fizikçi, eğitimci ve kamu politikası uzmanı. Kitabı; "Manual for a Perfect Government"da , topluma ve çevreye dair sorunların çözülerek, doğanın kanunlarıyla uyum içinde olan politikalar aracılığıyla, barış dolu bir dünya yaratmanın yollarını anlatıyor. John Hagelin, topluma önemli katkılarda bulunan bilim adamlarına verilen son derece prestijli bir ödül olan Kilby Award ödülünü aldı. Kendisi ayrıca, 2000 yılında "The Natural Law Party"nin başkan adayı oldu. John, bugün birçok insana göre, dünyanın en önemli bilim adamlarından biridir. Web adresi: www.hagelin.org

Bill Harris

Bill Harris, profesyonel konuşmacı, öğretmen ve işadamıdır. Beynin doğasına ilişkin klasik ve modern araştırmalar, ve dönüşümsel teknikler üzerine yaptığı çalışmalar sonucunda, derin meditasyon için kullanılan işitsel bir teknoloji olan Holosync'i buldu. Şirketi, "Centerpointe Research Institute" aracılığıyla yapılan çalışmalar, dünyanın her yanından binlerce insanın daha mutlu ve stresten bağımsız bir hayat sürmesine yardımcı oldu. Daha fazla bilgi için; www.centerpointe.com adresini ziyaret edebilirsiniz.

Dr. Ben Johnson

İlk başta klasik Batı tıbbı konusunda eğitim almış olan Dr.Johnson, geleneksel yöntemlerden farklı yöntemler kullanarak ölümcül bir hastalıktan kurtulduktan sonra, enerji şifacılığı konusuna ilgi duymaya başladı. Başlıca ilgi alanı ise, Dr.Alex Lloy tarafından bulunan bir iyileşme biçimi olan "The Healing Codes" (İyileşme Şifreleri) oldu. Bugün, Dr.Johnson ve Alex Lloyd, "The Healing Codes" şirketini işleterek, bu öğretiyi insanların yararına sunuyorlar. Daha fazla bilgi için; www.healingcodes.com adresini ziyaret edebilirsiniz.

Loral Langemeier

Loral Langemeier, insanların parasal hedeflerine ulaşmaları için onlara yardımcı olan finansal eğitim ve destek veren kurum "Live Out Loud"un (Yüksek Sesle Yaşamak) kurucusudur. Belirlenmiş zihinsel tutum ve davranışların, zengin olmanın anahtarı olduğuna inanan Loral, birçok insanın milyoner olmasına yardımcı olmuştur. Loral, şirketlere ve bireylere uzmanlık sahibi olduğu bu alandaki bilgilerini aktaran konuşmalar yapıyor. Web adresi şöyle; www.liveoutloud.com

Prentice Mulford (1834–1891)

Prentice Mulford, "New Thought" (Yeni Düşünce) akımının ilk yazarlarından ve kurucularındandır. Yaşamının büyük bir kısmını inzivada geçirmiştir. Çalışmalarıyla zihinsel ve spiritüel yasalarla ilgilenen sayısız yazar ve öğretmeni etkilemiştir. "Thoughts Are Things" ve "The White Cross Library" gibi başlıklar denemelerinden yapılan derlemelere aittir.

LISA NICHOLS

Lisa Nichols, kişisel gelişimin güçlü savunucularından biri ve "Motivating the Masses" ve "Motivating the Teen Spirit" adlı iki çok yönlü beceri programım kurucusu ve CEOsudur. Bu iki program, ergenlerin, kadınların ve girişimcilerin yaşamlarına etkileyici yenilikler getirirken, eğitim kurumlarına, diğer kurumsal müşterilere, kişisel gelişim organizasyonlarına ve inanç merkezli programlara da hizmet vermektedir. Lisa, uluslararası çok satan dizinin bir kitabı olan; "Chicken Soup for the African American Soul"un yazarlarından biridir. Web Sitesi: www.lisa-nichols.com dur.

BOB PROCTOR

Bob Proctor'un bilgeliği ona, büyük öğretmenlerden gelen soyundan geçmektedir. Andrew Carnegie ile başlayıp, Napoleon Hill'e, Hill'den Earl Nightingale'e geçmiştir. Earl Nightingale ise bilgelik meşalesini Bob Proctor'a devretmiştir. Bob kırk yıldan fazla süredir, zihinsel potansiyel alanında çalışmakta ve "Sır"rı öğretmek için dünyayı dolaşarak, şirketlere ve bireylere çekim yasası aracılığıyla zenginlik ve refah dolu bir hayat sürmeleri için yardımcı olmaktadır. Uluslararası bestseller "You Were Born Rich" kitabının yazarıdır. Bob'a dair daha ayrıntılı bilgi almak için; www.bobproctor.com adresini ziyaret edebilirsiniz.

James Arthur Ray

Hayatı boyunca gerçek zenginlik ve başarının ilkeleri üzerine çalışan James, insanlara parasal, ilişkisel, entelektüel, fiziksel ve spiritüel alanlarda sınırsız sonuç almanın yollarını öğreten "The Science of Success and Harmonic Wealth" öğretisini geliştirdi. Kendisine ait kişisel performans sistemleri, tüzel gelişim programları ve koçluk destekleri tüm dünyada kullanılıyor. Gerçek zenginlik, başarı ve insan potansiyeli hakkında düzenli olarak konferanslar veren James ayrıca, Doğu'ya dair birçok yerel ve mistik gelenek üzerine de uzman. Web adresi; www.jamesray.com

David Schirmer

David Schirmer, son derece başarılı bir borsa yatırımcısı ve çalışma grupları, seminerler ve kurslar yöneten bir yatırımcı eğitmenidir. Şirketi Trading Edge, insanlara, zenginliğe olanak tanıyan, belirli zihinsel tutum ve davranışlar oluşturarak, sınırsız gelir elde etmenin yollarını öğretiyor. Schirmer'ın Avustralya'da ve denizaşırı ülkelerde hisse senedi ve mal piyasaları üzerine yapmış olduğu incelemeler, doğrulukları sayesinde oldukça fazla ilgi gördü. Daha fazla bilgi için; www.tradingedge.com.au adresini ziyaret edebilirsiniz.

Marci Shimoff, MBA

Marci Schimoff son derece başarılı iki kitap olan; "Chicken Soup for the Woman's Soul" ve "Chicken Soup for the Mother's Soul"un yazarlarından biridir. Kişisel gelişim ve mutluluk üzerine tutkuyla konuşan bir dönüşümsel lider olan Marci, ayrıca kadınlara özgüven ve cesaret veren programlar sunan, "The Esteem Group"un da başkanı ve kurucularındandır. Web adresi şöyle; www.marcischimoff.com

Dr. Joe Vitale.

Joe Vitale, yirmi yıl önce bir evsizdi, şimdi ise dünyanın en iyi pazarlama uzmanlarından biri sayılıyor. Hepsi çok satanlar listesinde birinci sırada olan "Life's Missing Instruction Manual","Hypnotic Writing", ve "The Attractor Factor" dahil olmak üzere bir çok kitap yazan Vitale, kitaplarında başarı ve bereketin ilkelerini anlatıyor. Joe metafizik bilimler alanında doktora yapmış, sertifikalı bir hipnoterapist, metafizik uygulayıcısı ve Chi Kung şifacısı. Daha fazla bilgi için; www.mrfire.com adresini ziyaret edebilirsiniz.

Dr. Denis Waitley

DR. Waitley, Amerika'nın en saygıdeğer yazarlarından, okutmanlarından ve yüksek performanslı bireysel başarı danışmanlarından biridir. NASA astronotlarını eğitmek için görevlendirilmiş ve daha sonra aynı programı Olimpik atletlere uygulamıştır. Özyönetim üzerine hazırladığı işitsel albümü, "The Psychology of Winning" her dönem en çok satanlar arasında olmuştur. Waitley ayrıca birçoğu uluslararası çok satanlar arasına girmiş, on beş adet inceleme araştırma kitabının da yazarıdır. Web adresi şöyle; www.waitley.com

NEALE DONALD WALSCH

Neale Donald Walsch modern çağda bir spiritüel haberci ve tabuları yıkarak ve New York Times bestseller listesinde rekor kıran üç çoksatan kitaptan oluşan "Conversation with God" serisinin de yazarıdır. Neale, görsel ve işitsel programların yanı sıra, yirmi iki adet kitap yayınlamış ve Yeni Spiritüalite mesajını ulaştırmak üzere dünyanın dört bir yanını dolaşmıştır. www.nealedonaldwalsch.com adresinden kendisine ulaşılabilir.

WALLACE WATTLES (1860–1911)

Amerika'da doğan Wallace Wattles, "Yeni Düşünce" ilkelerini yazmadan önce, yıllarca çeşitli dinler ve felsefeler üzerine çalışmıştır. Wattles'ın kitapları, bugünün refah ve başarı öğretmenlerini oldukça fazla etkilemiştir. Refah konusunda bir klasik olan en ünlü çalışması, 1910 yılında yayınlanan "The Science of Getting Rich"dir.

FRED ALAN WOLF, PH.D.

Fred Alan Wolf, teorik fizik alanında doktoralı bir fizikçi, yazar, okutmandır. Dr. Wolf dünyanın bir çok yerindeki üniversitelerde ders vermiş, kuantum fizik ve bilinç üzerine yaptığı çalışmaları, yazıları aracığıyla tüm dünyaya tanıtmıştır. "National Book Award" (Ulusal Kitap Ödülü) alan "Taking the Quantum Leap" dahil olmak üzere on iki kitabın yazarıdır. Bugün Dr. Wolf, dünyanın dört bir yanında yazmaya ve ders vermeye devam ederek, kuantum fizikle bilinci ilişkilendiren büyüleyici çalışmasını insanlara ulaştırıyor. Web adresi; www.fredalanwolf.com dur.

"Sır" Siz'e, tüm varlığınızı kapsayacak
sevgi ve mutluluğu getirebilir.
Siz ve bütün dünya için temennim budur.

Daha fazlası için;
www.thesecret.tv adresini ziyaret ediniz.